MW00598327

# 新完全マスター漢字

## 日本語能力試験

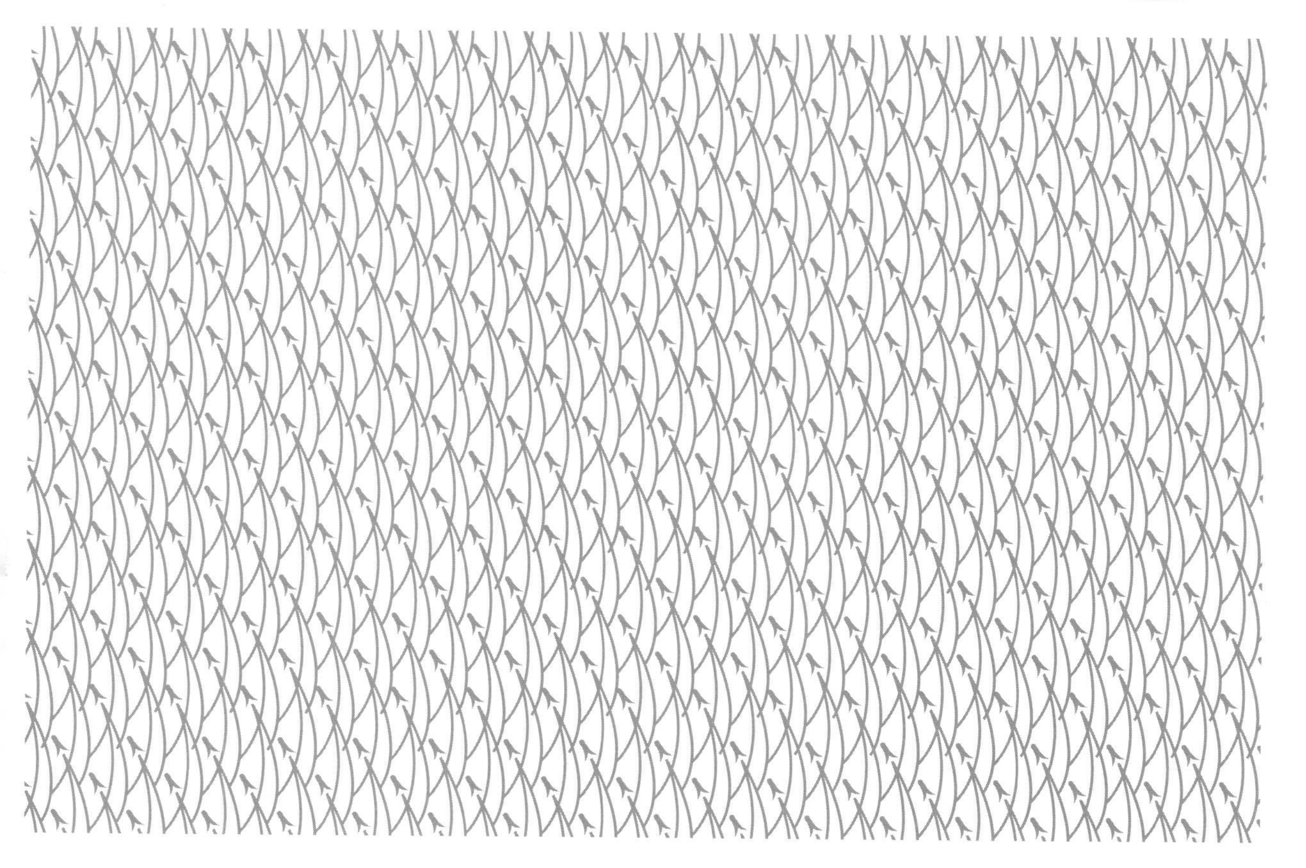

石井怜子・青柳方子・鈴木英子・髙木美穂・森田亮子・山崎洋子 著

スリーエーネットワーク

© 2014 by Ishii Reiko, Aoyagi Masako, Suzuki Hideko, Takagi Miho, Morita Ryoko and Yamazaki Hiroko

All rights reserved. No part of this publication may be reproduced, stored in a retrieval system or transmitted in any form or by any means, electronic, mechanical, photocopying, recording, or otherwise, without the prior written permission of the Publisher.

Published by 3A Corporation.
Trusty Kojimachi Bldg., 2F, 4, Kojimachi 3-Chome, Chiyoda-ku, Tokyo 102-0083, Japan

ISBN978-4-88319-688-3 C0081

First published 2014
Printed in Japan

## はじめに

本書は、N4程度までの漢字300字の学習を終えて、中級に入る学習者の方を対象とした漢字テキストです。全25回でN3レベルの354字の漢字を中心に学びます。学習に際しては、別冊の「漢字と言葉のリスト」でその回に学ぶ漢字と言葉を予習し、それから本冊の問題を解いて、漢字を身につけていくようになっています。

本書の特徴の一つは、「漢字は語の表記にこそ必要なもの」という立場から、漢字それ自体を1字ずつ取り上げて学ぶのではなく、漢字を語として文の中で使いながら学べるように工夫をしていることです。これは、既刊の『新完全マスター漢字 日本語能力試験N2』『同 N1』から一貫して変わりません。もう一つの特徴は、それぞれの漢字が日本語の表記の体系の中で持つ特徴及び、N3レベルの学習者にとっての必要性と学習上の難しさに注目して、N3レベルの漢字を体系づけ、学習するようにしてあることです。

多くの漢字は訓読みと音読みを持っていますが、その両方が必ずしも等しく使用されるわけではなく、さらに、どちらか一方はもっと先のレベルで学べばよいものもあります。また、音読みを中心にして非常に多くの語を作ることができる漢字もあり、このような漢字は、1字学ぶことによって得られる効果が大きいと言えます。その一方で、N3レベルの語でもいくつもの読み方があって、学習者に「漢字は難しい」という印象を抱かせてしまうものもあります。今までこのような漢字の特徴については、あまり注意が払われてこなかったのではないでしょうか。本書は、このような観点から、学習する漢字を5つの部に分け、それによって練習のしかたを変えることで、効率よく学習し、日本語の表記体系を無理なく身につけられるようにしてあります。

なお、非漢字圏からの学習者が増加していることを踏まえ、本文には筆画が分かりやすい教科書体の少し大きい文字を採用し、漢字の組み立てに注目する問題も取り入れました。また、自習を補助するために、各回の学習項目の漢字以外は総ルビとし、「漢字と言葉のリスト」のN3レベルの語に英語訳と中国語訳をつけてあります。練習問題には、実際に遭遇する「読む」場面をできるだけ取り入れました。練習に添えられたイラストは、漢字の言葉の意味や、それが使われる状況の理解を助けるでしょう。本書が単調で大変な漢字学習というイメージを少しでも払拭し、実際の漢字の使用に即した力をつけるためのお役に立てればと願っています。

本書の作成にあたっては、日本語学校の学習者の方々に試用していただき、数々の貴重な感想と助言を頂きました。この場を借りて、お礼を申し上げます。

著者代表　石井怜子

# 目　次 Contents 目录

# 学習者の皆さんへ：この本の使い方

この本は、初級が終わった人が日本語能力試験N3レベルの漢字とその読み方を学ぶ本です。非漢字圏の方も漢字圏の方も、教室だけでなく自分でも学習できるように、工夫がされています。この本で、身の回りの漢字や文章を読むのに役立つ力をつけてください。

## 対象

日本語能力試験N5・N4レベルの300字の漢字とその読み方を学んだ人を対象にしています。初級が終わって中級に入った人から使うことができます。

【注意】

N5・N4レベルの300字の漢字とその読み方は、別冊に載せてあります。この本で勉強を始める前に、300字の漢字と読み方を一度チェックしておくことをお勧めします。

## この本の特色

①日本語能力試験N3レベルに必要な漢字と読み方を全25回で学習します。
学習するのは、新しく学ぶ漢字354字とその読み方、そして、N5・N4レベルの漢字の中の88字の新しい読み方です。

②学習のポイントがよく分かるように工夫してあります。
漢字は一つ一つが特徴を持っています。例えば、一つの読み方だけを覚えればいい漢字、他の漢字と組み合わさって、たくさんの漢字の言葉を作る漢字、たくさん読み方がある漢字、などです。各回は同じ特徴を持つ漢字が集めてあるので、学習のポイントがよく分かります。

③漢字を文の中に入れて使ったり、いろいろな言葉を作ったりする練習によって、漢字の実際の使い方がよく分かります。

④豊富なイラストで、漢字や漢字の言葉の意味の理解を助けます。また、イラストがあることで、楽しみながら学習ができます。

## この本の使い方と学習の期間

①別冊の「漢字と言葉のリスト」でその回の言葉を予習してから、問題をやってください。

各回には、次のようなマークが付いていて、その回の漢字の特徴を表しています。

**訓**：訓読みだけを覚える漢字

**音**：音読みだけを覚える漢字

**音訓**：音読みと訓読みの両方を覚える漢字

マークで回のポイントを知って学習すると、効率よく勉強ができます。

②学習のしかたは、例えば２日で１回進めるなら、１日目は「漢字と言葉のリスト」で予習をして、２日目に問題をやって、解答をチェックするといいでしょう。

大変だったら、もう少しゆっくりしたペースで進めてください。自分のペースに合わせて、しっかり勉強することが大切です。

N2レベルに進む前の復習として使いたい方は、先に問題をやってから「漢字と言葉のリスト」で確認するという方法でもいいです。

# How to use this book

This textbook is for students who have completed the beginners' stage and are studying *kanji* and readings at Japanese-Language Proficiency Test Level N3 in the Japanese language ability examinations. It is for all students, whether or not they come from areas that use Chinese characters already. We have expressly designed this volume so it can be used not only in the classroom but also for personal study at home. We have tried to ensure that this book is useful both for recognizing *kanji* encountered in everyday life and for reading them in textual contexts.

## Who this book is for

This book is for students who have studied the 300 *kanji* they should know and be able to read at Japanese-Language Proficiency Test Levels N5 and N4. Students who have completed beginning courses and entered into intermediate study can use this book.

### Note

The 300 *kanji* covered at Japanese-Language Proficiency Test Levels N5 and N4 and their readings are given in the accompanying booklet. Before beginning studies with this textbook, we urge students to once more check that they know these 300 *kanji* and their readings.

## Features of this book

(1) This book contains 25 Lessons in *kanji* and their readings necessary for passing Japanese-Language Proficiency Test Level N3.
Specifically, students will learn 354 new *kanji* and their readings, and new readings of 88 *kanji* already studied at Levels N5 and N4.

(2) To ensure comprehension, we have included study point summaries.
Every character has its own particular characteristics. For example, some *kanji* have only one reading that you have to master, others can be combined with different *kanji* to create many *kanji* compounds, and others have many readings. *Kanji* that have the same characteristics are dealt with jointly in each Lesson to ensure comprehension of the study points.

(3) From the process of inserting *kanji* into texts and creating various words, students are able to gain an understanding of the practical use of *kanji* through their studies.

(4) Copious use of illustrations helps students understand *kanji* and the meaning of *kanji* compounds. It also makes the book more fun to use as a study aid.

## Time to be spent studying using this book

(1) Tasks should be carried out only after preparatory study of the words for that Lesson featured in the 漢字と言葉のリスト (*Kanji* and word list) in the accompanying booklet.
The following symbols are used in each Lesson to indicate the different kinds of *kanji*.
訓 : Used when you only need to remember the *kunyomi* reading of the character.
音 : Used when you only need to remember the *onyomi* reading of the *kanji*.
音訓 : Used when you need to remember both the *kunyomi* and *onyomi* readings of the character.
If you use these symbols to understand the study points in each Lesson, your study will be more efficient.

(2) Study method: If you study one Lesson over two days, on the first day you should do preparatory study of the 漢字と言葉のリスト (*Kanji* and word list), and on the second day complete the tasks and check your answers.
If this is too much for you, take things at a slower pace. It is important to study effectively at your own comfortable pace.
If you wish to use this book only as a review tool before advancing to Level N2, you can also complete the tasks and confirm your answers with the 漢字と言葉のリスト (*Kanji* and word list).

# 致学习者：本书的使用方法

本书是为了已经完成初级日语课程的学习者编写的，使用本书学习可以掌握相当于日语能力考试N3级别的汉字及其读法。本书的编写既考虑到非汉字圈的学习者，也兼顾到汉字圈的学习者，除了在课堂学习还可以自学使用。通过本书的学习，可以掌握日常的常用汉字，也有助于提高文章的阅读能力。

## 使用对象

使用对象为掌握了相当于日语能力考试N5、N4级水平的300个汉字及其读法的学习者。完成初级日语课程学习，在进入中级学习以后可以使用本书。

【提示】

N5、N4级别的300个汉字及其读法刊列在副册当中，建议各位学习者在开始本书的学习之前，复习一遍300个汉字及其读法。

## 本书特色

①全书分25次来学习日语能力考试N3级别的汉字和读法。
我们将学习新汉字及其读法354个，还有N5、N4级别汉字的新的读法88个。

②想方设法让学习者掌握学习要点。
每一个汉字都有各自的特点，例如有的汉字只有一种读法，有的汉字可以与其他汉字组合组成很多汉字词汇，有的汉字有许多种读法，等等。每节内容都是把有相同特征的汉字集中介绍，便于学习者掌握学习要点。

③或把汉字用于句中，或组成多种词汇，通过多种练习，可以充分掌握汉字的实际用法。

④大量的插图可以帮助学习者理解汉字和汉字词汇的意思，而且由于插图的存在，还可以使得学习变得不再枯燥乏味。

## 本书的使用方法及学习进度

①使用副册中的「漢字と言葉のリスト（汉字词语表）」首先预习本次课的学习内容，然后做练习题。
每次课都带有如下的标记，表示本课中汉字的特点。

**訓**：只需要掌握训读的汉字
**音**：只需要掌握音读的汉字
**音訓**：需要掌握音读和训读的汉字

根据标记了解每次课的要点之后，就可以提高学习的效率。

②学习方法示例，例如如果2天学习1次课内容的话，可以在第一天用「漢字と言葉のリスト（汉字词语表）」进行预习，在第二天做练习题，然后再核对答案。
如果学习吃力的话，可以以更慢的节奏来推进进度。关键在于要适合自己的学习节奏，扎实地学习。
如果学习者是打算在进入到N2级别的学习之前用此书复习的话，也是可以的。可以先做练习题，然后阅读「漢字と言葉のリスト（汉字词语表）」进行检查核对。

# 第1部 一つの漢字で言葉になる漢字

## 訓読みを覚えましょう　Memorizing *kunyomi* readings　记住汉字的训读

一つの漢字なのに、いくつも読み方があります。読み方の種類がありますか。

A single *kanji* can have multiple readings. Are there different kinds of reading?

汉字只有一个，但是读法却有几种，汉字读法有分类吗?

２種類の読み方があります。一つを訓読み、一つを音読みと言います。

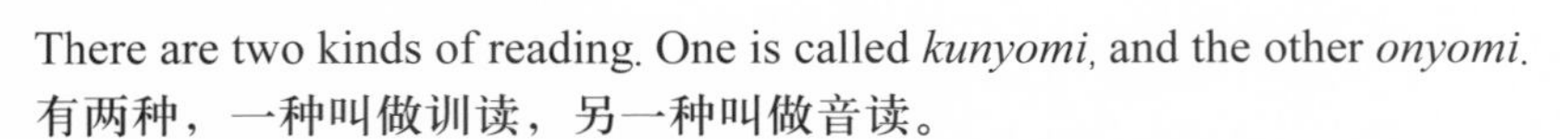

There are two kinds of reading. One is called *kunyomi*, and the other *onyomi*.

有两种，一种叫做训读，另一种叫做音读。

訓読みはどんなときに使いますか。

When do you use the *kunyomi* reading?

什么时候使用训读读法?

主に訓読みは、その漢字一つか、または漢字一つと平仮名だけでできる言葉に使います。例えば、「水(みず)」「道(みち)」「行く(い・く)」「急ぐ(いそ・ぐ)」「古い(ふる・い)」などです。日本語の動詞やい形容詞は、普通、訓読みで読みます。

音読みの言葉は、普通、漢字二つ(または二つ以上)でできている(20ページ参照)ので、両方の漢字の音読みを知らなければ読めません。しかし、訓読みは、その漢字の読み方だけ知っていれば、読むことができます。また、訓読みの勉強は、特に動詞やい形容詞の勉強になります。

The *kunyomi* reading are mainly used in cases where a *kanji* stands alone, or when a single *kanji* is combined with *hiragana*. Examples include 水(みず), 道(みち), 行く(い・く), 急ぐ(いそ・ぐ) and 古い(ふる・い). Usually, verbs and い-type adjectives use *kunyomi* readings.

Words using *onyomi* readings of *kanji* are usually compounds of two or more *kanji* (please see Page 20 for more detail). Because of this, you need to know the *onyomi* readings of both *kanji*. However, you are able to read the whole *kunyomi* word as long as you know the pronunciation of the one *kanji*. Another benefit of studying *kunyomi* readings is that they help you learn verbs and い-type adjectives.

训读主要用在由一个汉字或者仅由一个汉字和平假名构成的词汇中。例如,「水(みず)」「道(みち)」「行く(い・く)」「急ぐ(いそ・ぐ)」「古い(ふる・い)」,等等。

日语中的动词和い形容词一般使用训读读法。音读词汇一般是由两个或者更多汉字构成的词汇(参考20页),因此必须要知道各个汉字的音读才能读出来。相反,如果是训读的话只要知道那个汉字的读法就能读出来。另外,学习训读可以掌握动词和い形容词。

## 第1回 訓 訓読み：名詞 *Kunyomi*: Nouns 训读：名词

1　絵を見て、読み方を書きましょう。

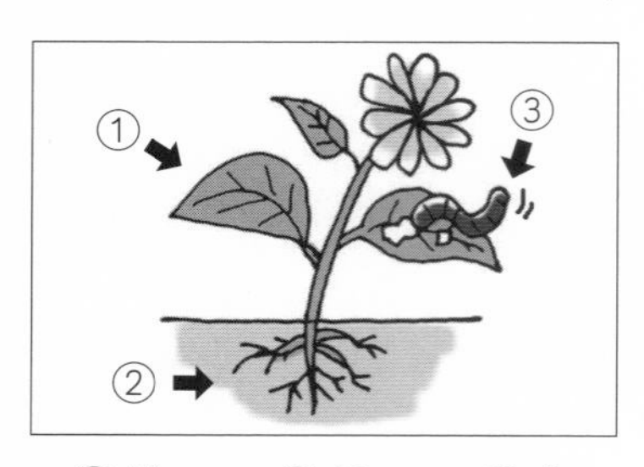

①葉（　　）②根（　　）③虫（　　）　④馬（　　）　⑤草（　　）　⑥妻（　　）　⑦新しい命（　　）⑧子供（　　）

2　正しいものを選びましょう。

①この辺り（aあたり　bまわり）に郵便局がありますか。
②新しい型（aかたち　bかた）のパソコンが欲しい。
③海で、かい（a具　b貝）を拾った。
④白いたま（a玉　b王）のネックレスをもらった。
⑤昨日、友達と夜遅くまでおさけ（aお洒　bお酒）を飲んだ。
⑥ゆき（a雷　b電　c雪）が降っています。寒いですね。
⑦京都には古いおてら（aお待　bお侍　cお寺）がたくさんある。

3　［　］の中から漢字の部分を選んで、漢字を完成しましょう。読み方も書きましょう。

| ~~豕~~ | 生 | 云 | 石 | 田 | 白 |
|---|---|---|---|---|---|

例）駅から［家］まで、歩いて10分です。
（いえ）

①空に黒い［雨］がたくさんあって、雨が降りそうです。
（　　　　）

②冬の夜は、［日］がよく見える。
（　　　　）

③［比］さん、一緒に歌いましょう。
（　　　　さん）

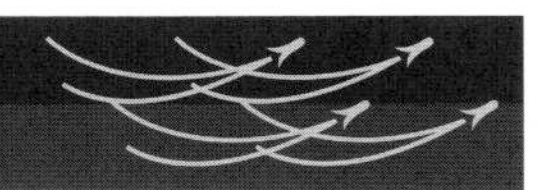

④この山は、全体が［山］でできている。

（　　　　）

⑤夏の野菜が［火　］で大きく育っている。

（　　　　）

4　［　　］の中から漢字を選んで、文を完成しましょう。読み方も書きましょう。

| 月 | 米 | 糸 | 毛 | 組 |
|---|---|---|---|---|

例）空にきれいな__月__が出ている。

（**つき**）

①私のクラスは１年３＿＿＿です。

（３　　　）

②暑いので、髪の＿＿＿を切った。

（　　　　）

③アジアの人は＿＿＿をよく食べます。

（　　　　）

④ボタンが取れたので、針と＿＿＿を借りた。

（　　　　）

5　＿＿の部分の漢字には読み方を、平仮名には漢字を書きましょう。

①これは、動物の家族の__物語__だ。　（　　　　）

②白い線の__外側__を歩かないでください。　（　　　　）

③テレビでスポーツの__番組__を見た。　（　　　　）

④__市場__で、安い果物を買った。　（　　　　）

⑤a__大型__の車のb__窓__からは、外の景色がよく見える。

（　　　　）（　　　　）

⑥ここは__むかし__、海でした。

（　　　　）

# 第2回 訓 訓読み：動詞（1） *Kunyomi*: Verbs (1) 训读：动词(1)

1　絵を見て、読み方を書きましょう。

①投げました。　②打ちます。　③泣いています。　④笑っています。

（　　げました）　（　　ちます）　（　　いて）　（　　って）

2　正しいものを選びましょう。

①あの山を越える（aこえる　bほえる）と、海が見える。

②木村さん、先生がよんで（a読んで　b呼んで）いますよ。

③品物の値段をよくくらべて（a比べて　b化べて）から買い物します。

3　＿＿の部分の読み方を書きましょう。

①朝の電車は、いつも込んでいる。

（　　んで）

②花に付いている虫を殺した。

（　　した）

③来月引っ越すことになりました。

（　　っ　　す）

④地震のときは、落ち着いて行動してください。

（　　ち　　いて）

4　□の中から漢字の部分を選んで、漢字を完成しましょう。読み方も書きましょう。

| 甲 | 斤 | ム |
|---|---|---|

①お金をいくら扌□ったらいいですか。

（　　ったら）

②子供（こども）と一緒（いっしょ）に、紙（かみ）を扌＿＿って動物（どうぶつ）を作（つく）った。

（　　　って）

③このボタンを扌＿＿すと、お釣（つ）りが出（で）ます。

（　　　す）

5 □の中（なか）から漢字（かんじ）を選（えら）んで、文（ぶん）を完成（かんせい）しましょう。読（よ）み方（かた）も書（か）きましょう。

| ~~見~~ 並 渡 落 迎 |
|---|

例（れい））友達（ともだち）と映画（えいが）を＿見＿た。

（み　た）

①テーブルの上（うえ）に、コップを＿＿＿べた。

（　　　べた）

②この木（き）は、冬（ふゆ）に葉（は）が＿＿＿ちる。

（　　　ちる）

③お客様（きゃくさま）を＿＿＿える準備（じゅんび）ができました。

（　　　える）

④橋（はし）を＿＿＿ってまっすぐ行（い）くと、パン屋（や）があります。

（　　　って）

# Memo

# 送り仮名 *Okurigana* 送假名

「始める」を、「始る」や「始じめる」と書いてはいけませんか。

Isn't it possible to write 始める as 始る or 始じめる?

把「始める」写成「始る」或者「始じめる」可以吗?

「始める」「読む」「大きい」の「める」「む」「きい」など、平仮名で書く部分を送り仮名といいます。同じ漢字でも、言葉が違うと、送り仮名が変わります。例えば、「始める－始まる」「生きる－生まれる」などです。送り仮名も正確に覚えたほうがいいですね。

The *hiragana* parts of words such as 始める, 読む, 大きい (める, む and きい) are called *okurigana*. Sometimes, the *kanji* stays the same but the word meaning itself changes somewhat. This causes the *okurigana* parts to change as well. Examples are 始める ― 始まる, and 生きる ― 生まれる. You are advised to memorize *okurigana* parts accurately.

「始める」「読む」「大きい」的「める」「む」「きい」等用平假名写的部分称为送假名。即使汉字相同，但是不同的词语其送假名的标注方式也不同。例如，「始める―始まる」「生きる―生まれる」，等等。送假名最好也要正确掌握。

# 訓読み：動詞（2） *Kunyomi*: Verbs (2) 训读：动词(2)

1　絵を見て、読み方を書きましょう。

①減ります。（　　ります）　②困ります。（　　ります）　③助けます。（　　けます）　④喜びます。（　　びます）

2　正しいものを選びましょう。

①台風が近付いて（a ちかついて　b ちかづいて）いるそうだ。
②会社で日本の仕事のやり方を学んで（a まらんで　b まなんで）います。
③引っ越しの手続き（a てづつき　b てつづき　c てづづき）をする。
④薬がきいて（a 郊いて　b 効いて）、熱が下がった。
⑤泥棒は、車に乗ってにげた（a 速げた　b 挑げた　c 逃げた）らしい。

3　□の中から漢字の部分を選んで、漢字を完成しましょう。読み方も書きましょう。

| 寸 | 青 | 十 | 白 |
|---|---|---|---|

①海の近くのホテルに［氵　］まった。（　　まった）
②服にごみが［亻　］いていた。（　　いて）
③50メートルを何秒で泳げるか、［言　］ってみた。（　　って）
④あしたは運動会ですね。［日　］れるといいですね。（　　れる）

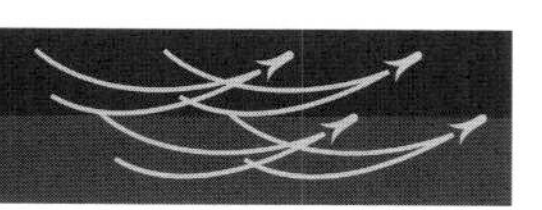

4　［　　］の中から漢字を選んで、文を完成しましょう。読み方も書きましょう。

| 負 | 困 | 届 | 続 | 申 |
|---|---|---|---|---|

①初めまして。カリスと＿＿＿＿します。

（　　　　します）

②鍵を無くして＿＿＿＿りました。

（　　　　りました）

③野球の試合は、0対5で＿＿＿＿けてしまった。

（　　　　けて）

④国から荷物が＿＿＿＿いた。

（　　　　いた）

⑤雨の日が＿＿＿＿くと、洗濯物が乾かない。

（　　　　く）

5　＿＿＿の部分の漢字には読み方を、平仮名には漢字を書きましょう。

①申し込みは、インターネットで受け付けています。

（　　　し　　　み）

②コーヒーを二つお願いします。

（お　　　いします）

③日本では、子供の数が減っている。

（　　　って）

④旅行の日付をカレンダーに書いた。

（　　　　　）

⑤いい友達と付き合うようにしなさい。

（　　　き　　　う）

⑥窓の外で鳥がないています。

（　　　いて）

⑦困ったときに、友達がたすけてくれた。

（　　　けて）

# 第4回 訓　訓読み：形容詞など

*Kunyomi*: Adjectives, etc
训读：形容词等

1　絵を見て、読み方を書きましょう。

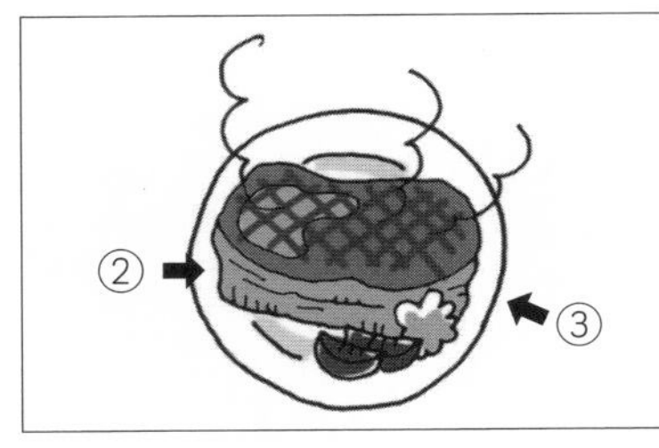

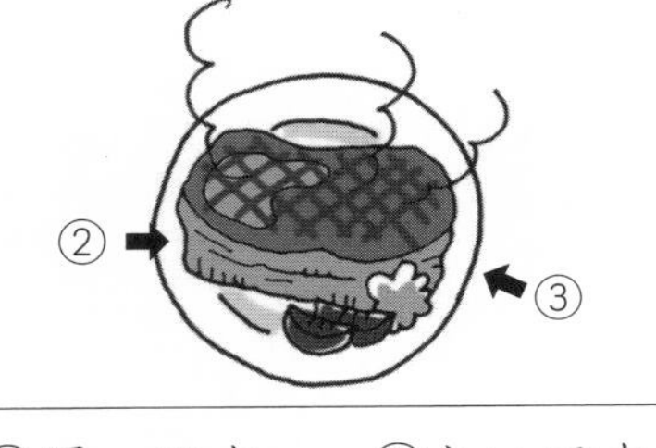

①暖かいです。　（　　　かい）

②厚いです。　（　　い）

③丸いです。　（　　い）

④難しいです。　（　　　しい）

2　正しいものを選びましょう。

①この歌は若者たち（aわかしゃたち　bわかものたち）に人気がある。

②空が真っ暗（aまっくら　bまっくろ）になって、雨が降ってきた。

③必要な書類は全て（aすべて　bぜんて　cまだて）持っています。

④おひさしぶり（aお久しぶり　bお又しぶり　cお尺しぶり）です。お元気ですか。

3　［　　］の中から漢字の部分を選んで、漢字を完成しましょう。読み方も書きましょう。

| 亡　　京　　心 |
|---|

①今日は［忄 ］しかったので、昼ご飯を食べる時間がなかった。
（　　　　しかった）

②山の上は、［氵 ］しい風が吹いていた。
（　　　　しい）

③この歌は、恋人と別れたときの、［非 ］しい気持ちを歌っている。
（　　　　しい）

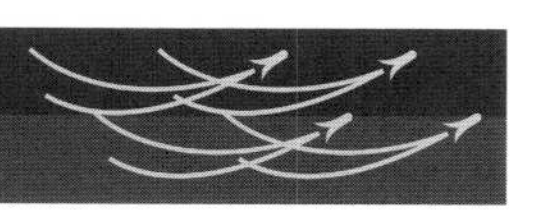

4　＿＿の部分の漢字には読み方を、平仮名には漢字を書きましょう。

①あの<u>黄色い</u>帽子は、みどり小学校の帽子です。

（　　　　　い）

②図書館は<u>しずかな</u>ので、よく勉強できる。

（　　　かな）

③ここでは、<u>わかい</u>人も年を取っている人も一緒に働いている。

（　　　い）

# 特別な読み方をする漢字の言葉 Words using *kanji* with special readings 特殊读法的汉字词汇

漢字の言葉の中には、特別な読み方をするものがあります。

Some *kanji* words have special, unusual readings.
汉字词汇的读音中，有很多读法特殊的情况。

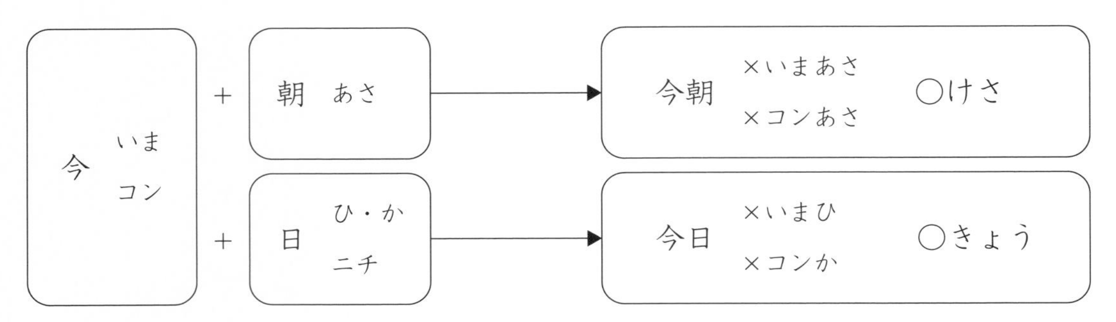


例えば、「今」は「いま」「コン」と読みます。「朝」は「あさ」と読みます。しかし、「今＋朝」は「いまあさ」「コンあさ」とは読みません。「けさ」と読みます。同じように、「今＋日」は「いまひ」「コンか」ではなく、「きょう」と読みます。
このような特別な読み方を覚えましょう。

For example, 今 is read as いま or コン, and 朝 is read as あさ. However, when you put 今 and 朝 together, you do not get いまあさ or コンあさ. The word 今朝 is pronounced けさ. In the same way, when you combine 今 and 日, you do not get いまひ or コンか, but the word 今日 is read きょう. It is advisable to learn these special readings.

例如，「今」读作「いま」「コン」。「朝」读作「あさ」。可是「今＋朝」不读作「いまあさ」「コンあさ」而是读作「けさ」。同样，「今＋日」不读作「いまひ」「コンか」而是读作「きょう」。
这些特殊读法一定要记住。

# 特別な読み方をする漢字の言葉

| No. | 言葉 | 読み方 |
| --- | --- | --- |
| 1 | 笑顔 | えがお |
| 2 | 昨日 | きのう |
| 3 | 果物 | くだもの |
| 4 | 景色 | けしき |
| 5 | 手伝う | てつだう |
| 6 | 友達 | ともだち |
| 7 | 二十歳 | はたち |
| 8 | 真っ赤 | まっか |
| 9 | 真っ青 | まっさお |

笑顔：Smile, with a smile　笑脸

真っ赤（な）：Bright red　赤红的

真っ青（な）：Deep blue　苍白的

1　正しいものを選びましょう。

①果物（a くだもの　b くたもの）の中で、みかんがいちばん好きです。

②車の窓からの景色（a けいしき　b けしき）を楽しんだ。

③昨日（a きのう　b きの）はいい天気だった。

④妹は今年、二十歳（a はだち　b はたち）になります。

⑤海の色が真っ青（a まっさお　b まあお　c まっあお）だ。

2　＿＿の部分の読み方を書きましょう。

①彼女は笑顔がすてきです。

（　　　　　）

②真っ赤な太陽が見える。

（　　っ　　な）

③友達と遊園地に行った。

（　　　　　）

④ちょっと手伝ってください。

（　　　　　って）

# まとめ問題(もんだい)（1）

1 ＿＿の言葉(ことば)の読(よ)み方(かた)として最(もっと)もよいものを、1・2・3・4から一(ひと)つ選(えら)びましょう。

①大型テレビを買(か)った。

1 おおかた　　2 おおがた　　3 だいかた　　4 だいがた

②あなたの国(くに)の文化(ぶんか)と日本(にほん)の文化(ぶんか)を比べて、レポートを書(か)きなさい。

1 しらべて　　2 くらべて　　3 ひべて　　4 ならべて

③入学(にゅうがく)の手続きをしに大学(だいがく)へ行(い)った。

1 てつずき　　2 てづつき　　3 てつづき　　4 てずづき

④薬(くすり)が効いて、せきが止(と)まった。

1 こういて　　2 しいて　　3 ついて　　4 きいて

⑤ここにある物(もの)は全て１００円(えん)です。

1 まったて　　2 ぜんぶて　　3 ぜんて　　4 すべて

2 ＿＿の言葉(ことば)を漢字(かんじ)で書(か)くとき、最(もっと)もよいものを、1・2・3・4から一(ひと)つ選(えら)びましょう。

①夕方(ゆうがた)はお客(きゃく)さんが多(おお)いので、いそがしい。

1 忙しい　　2 急しい　　3 忘しい　　4 早しい

②3番(ばん)のまどぐちでお金(かね)を払(はら)った。

1 宅口　　2 窓口　　3 室口　　4 窒口

③空港(くうこう)に友達(ともだち)をむかえに行(い)きました。

1 抑え　　2 迎え　　3 柳え　　4 仰え

④授業(じゅぎょう)が始(はじ)まるベルがなったら、教室(きょうしつ)に入(はい)りなさい。

1 吠ったら　　2 泣ったら　　3 呼ったら　　4 鳴ったら

⑤電車(でんしゃ)で居眠(いねむ)りをして、のりこしてしまった。

1 乗り越して　　2 乗り起して　　3 乗り超して　　4 乗り赴して

3 ＿＿の部分(ぶぶん)の読(よ)み方(かた)を書(か)きましょう。

①人間(にんげん)は、自分(じぶん)の欠点(けってん)にはなかなか a 気付きません。

②お集(あつ)まりの b 皆さんに c 申し上げます。

③駅前(えきまえ)で拾(ひろ)った d 落とし物を警察(けいさつ)に e 届けた。

④レポートは f 日付と名前(なまえ)を書(か)いて出(だ)してください。

⑤見(み)たいテレビの$_g$番組を予約(よやく)した。

⑥姉(あね)はどんなときも$_h$落ち着いている。

⑦旅行(りょこう)かばんの$_i$外側のポケットに、$_j$小型のカメラを入(い)れた。

⑧電気(でんき)が消(き)えると、部屋(へや)の中(なか)は$_k$真っ暗になった。

⑨４月(がつ)なのに、その$_l$若者は$_m$厚いコートを着(き)ていた。

⑩$_n$昔の$_o$物語からは、いろいろなことが$_p$学べる。

| a　　きません | b　　さん | c　し　げます | d　とし |
|---|---|---|---|
| e　　けた | f | g | h　ち　いて |
| i | j | k　っ | l |
| m　　い | n | o | p　　べる |

4　＿＿の部分(ぶぶん)の漢字(かんじ)には読(よ)み方(かた)を、平仮名(ひらがな)には漢字(かんじ)を書(か)きましょう。

## グリーンホテルご案内(あんない)

グリーンホテルでは、季節(きせつ)によって様々(さまざま)な楽(たの)しみがございます。

春(はる)…$_a$うまに乗(の)って森(もり)を散歩(さんぽ)しましょう。

夏(なつ)…$_b$こどもさんと$_c$むし取(と)りができます。夜(よる)はきれいな$_d$星も見(み)られます。

秋(あき)…料理教室(りょうりきょうしつ)：$_e$畑の野菜(やさい)を使(つか)って、ケーキやデザートを作(つく)りましょう。

冬(ふゆ)…スキー教室(きょうしつ)：$_f$ゆきで遊(あそ)んだり、スキーをしたりしましょう。

ご家族(かぞく)、ご友人(ゆうじん)、カップルでどうぞ。

皆さんのご予約(よやく)をお待(ま)ちしております。

$_g$お泊まりの$_h$もうしこみは、０５５－×××－××××まで。

または、ＨＰからも予約(よやく)できます。

カップル：Couple　夫妇、情侣

| a | b　　さん | c | d |
|---|---|---|---|
| e | f | g　お　　まり | h　し　　み |

# 第2部 たくさんの言葉を作る漢字

# 音読み(おんよ)を覚え(おぼ)ましょう Memorizing *onyomi* readings 掌握音读

音読み(おんよ)はどんなときに使(つか)いますか。

When do you use *onyomi* readings?

音读什么时候使用?

音読み(おんよ)は、普通(ふつう)、漢字(かんじ)二(ふた)つ(または、二(ふた)つ以上(いじょう))でできる言葉(ことば)に使(つか)います。例(たと)えば、「水道(すいどう)」「急行(きゅうこう)」などです。名詞(めいし)、「する」がついて動詞(どうし)になる名詞(めいし)、な形容詞(けいようし)など、非常(ひじょう)にたくさんの言葉(ことば)を音読み(おんよ)で読(よ)みます。

*Onyomi* readings are usually found when a word comprises a combination of two *kanji* or more, such as 水道 or 急行. A very large number of words have *onyomi* readings, including nouns, verbs derived from nouns taking する, and な-type adjectives.

音读一般用在有两个(或者两个以上)汉字构成的词汇中。例如,「水道」「急行」,等等。名词、加「する」构成动词的名词以及な形容词中,很多词汇都读音读。

音読みを覚えると、どんないいことがありますか。

How do you benefit by memorizing *onyomi* readings?
掌握汉字音读的好处是什么?

音読みを知っていると、いろいろな言葉を読むことができます。例えば、「道(ドウ)」を知っていると、「鉄道」「道路」「歩道」などを読むときに役に立ちます。

音読みの言葉は、普通、漢字二つ(または二つ以上)でできているので、両方の漢字の音読みを知らなければ読めません。けれども、「道路」を覚えるときに「路(ロ)」を覚えれば、「線路」を読むときに役に立ちます。音読みを知っていると、読める言葉をどんどん増やすことができます。

When you know *onyomi* readings, you can better read various other related or derivative words. For example, if you know 道(ドウ), it helps you to learn to read words such as 鉄道, 道路 and 歩道.
Words using *onyomi* readings of *kanji* are usually compounds of two or more *kanji*. Because of this, you need to know the *onyomi* readings of both *kanji*. However, when you learn a word like 道路, if you can remember the second part, 路(ロ), it helps you read related words such as 線路. If you know *onyomi* readings, it is possible to steadily build up your reading vocabulary.

掌握汉字音读之后，很多词就能读出来。例如，知道「道(ドウ)」之后，在读「鉄道」「道路」「歩道」等词汇时就非常有用。
音读词汇一般是由两个或者更多汉字构成的词汇，因此必须要知道各个汉字的音读才能读出来。但是记忆「道路」的读法时掌握了「路(ロ)」的读音的话，在读「線路」时就会非常有帮助。掌握了音读之后，能够读的词汇就会不断增多。

## 第5回 音　たくさんの言葉を作る漢字：音読み

*Kanji* from which many words are derived: *Onyomi*
构词丰富的汉字：音读

1　＿＿の部分の読み方を書きましょう。

①僕たち、a親友だよ。
（　　　　）

何でも話せるb友人は大切だね。
（　　　　）

②どんなことでもa全力でやる子供に育ってほしい。
（　　　　）
そのために、子供にb体力をつけよう。
（　　　　）

③昨日の映画、a感動しました。愛の力はすごいとb感じました。
（　　　　）　（　　じました）

④こんなa女性に会えるかな。
（　　　　）

こんなb男性に会えるかな。
（　　　　）

2　正しいものを選びましょう。

①9月1日から次の学期（aがっき　bがくき）が始まる。
②化学の実験（aじっけん　bじつげん　cじけん）をした。
③金は水や空気に強いというせいしつ（a性質　b生質　c姓質）を持つ。
④新聞のきじ（a語事　b訌事　c記事）で、事件を知った。

3　□の中から漢字の部分を選んで、漢字を完成しましょう。読み方も書きましょう。

| 貝 | 青 | 言 | 泉 | 月 |
|---|---|---|---|---|

①「黄色い糸□まで下がってください」という注意が聞こえた。
（　　　　）

②この会では、毎月５００円の会[費]を集めて、活動に使っている。
（　　　　　　）

③よく勉強したので、テストには自[信]がある。
（　　　　　　）

④このプールは、夏休みの[期]間だけ使うことができる。
（　　　　　　）

⑤遠くにいても、二人の友[情]は変わらない。
（　　　　　　）

4　□には同じ漢字が入ります。［　］から、漢字を選んで書きましょう。＿＿の部分の読み方も書きましょう。

| 電 | 報 | 両 | 具 |
|---|---|---|---|

例）国の母に a□話をかけた。
暗くなったので、b□気をつけた。

①私の a□親は旅行が趣味だ。
道の b□側にきれいな花が咲いている。

②キャンプに行くので、バーベキューの a道□を買った。
引っ越したので、新しい b家□が欲しい。

③旅行の a情□をインターネットで調べた。
友達の結婚式に行けないので、お祝いの b電□を出した。

| | | |
|---|---|---|
| 例 | a | 電話（でんわ） |
| | b | 電気（でんき） |
| ① | a | 親（　　　） |
| | b | 側（　　　） |
| ② | a | 道（　　　） |
| | b | 家（　　　） |
| ③ | a | 情（　　　） |
| | b | 電（　　　） |

5 □の中から漢字を選んで、文を完成しましょう。読み方も書きましょう。

| 各 | 副 | 第 | 的 | 製 |
|---|---|---|---|---|

①＿＿＿社長は、若いが優秀な人です。次の社長は彼でしょう。

（　　　　　）

②＿＿＿１８回オリンピックは、東京で行われた。

（　　　１８　　）

③スピーチ大会に出る人を＿＿＿クラスから一人ずつ選んでください。

（　　　クラス）

④仕事の仕方を、具体＿＿＿に教えてください。

（　　　　　に）

⑤このきれいな靴は、イタリア＿＿＿だ。

（イタリア　　　）

# Memo

# 訓読みと音読み *Kunyomi* and *onyomi* 训读与音读

どの漢字にも訓読みと音読みがありますか。

Do all *kanji* have both *kunyomi* and *onyomi* readings?
每个汉字都有音读和训读吗?

音読みが無くて訓読みだけの漢字（例えば「畑」）もありますが、数は少ないです。訓読みが無くて音読みだけの漢字（例えば「以」「科」など）は、たくさんあります。

しかし、訓読みと音読みの両方を勉強する漢字がいちばん多いです。

There are certain characters that only have *kunyomi* readings (such as 畑), but they are few in number. Characters that have only *onyomi* and not *kunyomi* readings (such as 以 and 科) are very numerous.
However, the most frequently occurring *kanji* are those that require you to master both *kunyomi* and *onyomi* readings.

也有只有训读没有音读的汉字（例如「畑」），但数量很少。有很多汉字只有音读没有训读（例如「以」「科」等）。
既要掌握音读，又要掌握训读的汉字是最多的。

訓読みと音読みを両方覚えるのは、大変ですね。

Isn't it demanding having to know both *kunyomi* and *onyomi* readings?
要同时掌握音读和训读，这很辛苦啊。

確かに大変です。しかし、いいこともあります。訓読みは、その漢字の意味を日本語で表していることが多いです。例えば、「強」は「つよい」、「風」は「かぜ」の意味です。だから、訓読みを使ってできる言葉の意味を知っていると、音読みの言葉の意味を理解するのに役立ちます。

「台風が近づいているので、今日は強風に注意してください」という文があるとき、「強風」は「強い風」の意味だとすぐ分かります。そして、「強」は「勉強」の「キョウ」、「風」は「台風」の「フウ」ですから、読み方も分かります。

一つ一つの漢字の意味を考えながら勉強すると、それらの漢字で作る言葉がイメージできて、覚えやすいですよ。

Yes, it is. However, there are also benefits. With *kunyomi*, the meaning of a *kanji* is usually expressed in native Japanese (not sino-Japanese). For example, 強 is used in つよい "strong", and 風 is かぜ "wind". Hence, if you know the meaning of words that contain *kunyomi*, this helps you to understand the meaning of some words with *onyomi*.
In a sentence like, 台風が近づいているので、今日は強風に注意してください, you can easily work out that 強風 means "strong wind." You see that 強 is the キョウ of 勉強, and that 風 is the フウ of 台風, so these readings also become clear.
If you study the meaning of *kanji* one by one intelligently, you can get an idea of the words they can create, and that helps you memorize them.

**确实很辛苦。但是记住之后也有很多好处。训读中很多都是用日语来表达这个汉字的意思。例如,「強」是「つよい(强大的)」,「風」是「かぜ(风)」的意思。因此掌握了由训读构成的词汇的意义之后，在理解音读词汇的意义时会很有用。**
**如果看到「台風が近づいているので、今日は強風に注意してください」这个句子，就会马上明白「強風」是“强烈的风”的意思。并且「強」在「勉強」这个词中读「キョウ」,「風」在「台風」这个词中读「フウ」，因此这个词的读法也就知道了。**
**如果能边学习边思考一个一个汉字的意思的话，就能够想象出由这些汉字构成的词汇的意义，非常便于记忆。**

# 第6回 音訓 たくさんの言葉を作る漢字：音読みと訓読み

*Kanji* from which many words are derived: *Onyomi* and *kunyomi*

构词丰富的汉字：音读和训读

1　＿＿の部分の読み方を書きましょう。

①ａ<u>最近</u>の出来事で、ｂ<u>最も</u>興味を持ったことは何ですか。

（　　　　　）　（　　　　も）

②私、留学することにａ<u>決めた</u>わ。

（　　　めた）

そう、ｂ<u>決心</u>は固いんだね。

（　　　　　）

③すごくａ<u>速い</u>ね。ｂ<u>時速</u>何キロだろう。

（　　　い）（　　　　）

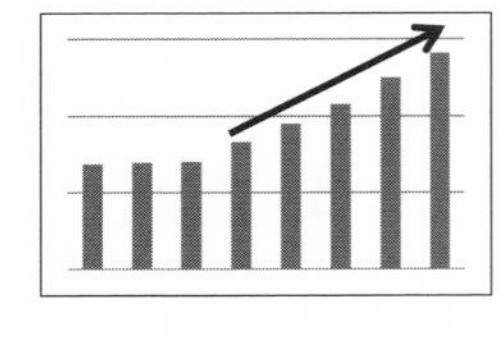

④この町は人口がａ<u>増加</u>していて、５年間で３万人

（　　　　　）

ｂ<u>増えました</u>。

（　　　えました）

2　正しいものを選びましょう。

①先生のお話は、とても<u>面白かった</u>（ａたのしかった　ｂおもしろかった）です。

②お話の<u>内容</u>（ａないよう　ｂないよ）は少し難しかったです。

③スピーチ大会に私も<u>参加</u>（ａさんが　ｂさんか）します。

④このことは<u>決して</u>（ａけつして　ｂけっして）忘れない。

⑤何度も話し合って、<u>けつろん</u>（ａ決輪　ｂ結論　ｃ結倫）を出した。

⑥ゆうべは、おなかが痛くて<u>ぜんぜん</u>（ａ然々　ｂ然全　ｃ全然）眠れなかった。

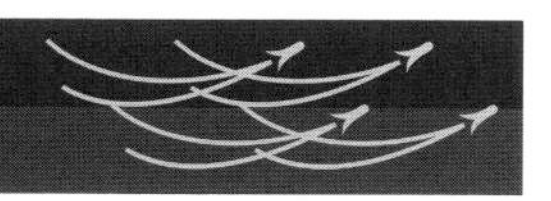

3　＿＿の部分(ぶぶん)の読(よ)み方(かた)を書(か)きましょう。

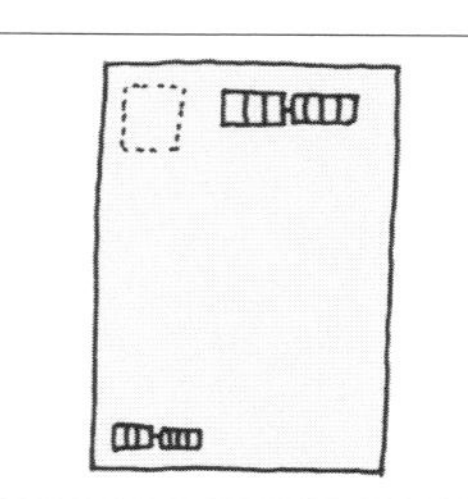

| | |
|---|---|
| 東京都(とうきょうと) | 1320万人(まんにん) |
| 北海道(ほっかいどう) | 550万人(まんにん) |
| 大阪府(おおさかふ) | 880万人(まんにん) |
| 神奈川県(かながわけん) | 900万人(まんにん) |

①葉書(はがき)の a表　人口(じんこう)の b表

（　　　　）（　　　　）

②箱(はこ)の a内側　b案内の人(ひと)

（　　　　）（　　　　）

③塩(しお)を少(すこ)し a加える。　注文(ちゅうもん)を b追加する。

（　　　える）（　　　　）

4　□の中(なか)から漢字(かんじ)の部分(ぶぶん)を選(えら)んで、漢字(かんじ)を完成(かんせい)しましょう。読(よ)み方(かた)も書(か)きましょう。

| 昷　辶　ヨ　吉 |
|---|

①ご飯(はん)をレンジで［氵　］める。

（　　　める）

②宝(たから)くじが［⺌　］たることは、めったにないよ。

（　　　たる）

③２番(ばん)の選手(せんしゅ)がどんどんスピードを上(あ)げて、１番(ばん)の選手(せんしゅ)に［　㠯］いついた。

（　　　いついた）

④靴(くつ)のひもを固(かた)く［糸　］んだ。

（　　　んだ）

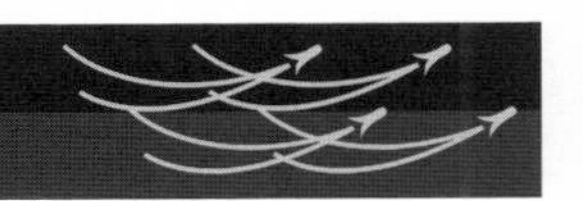

5 □には同じ漢字が入ります。［　］から、漢字を選んで書きましょう。＿＿の部分の読み方も書きましょう。

| 結 | 当 | 温 |
|---|---|---|

①エアコンをつけたのに部屋の$_a$□度が上がらない。
$_b$体□計で熱を計ったら、38度だった。

②水曜は、私が掃除をする$_a$□番になっている。
悪いことをしたら、謝るのは$_b$□然のことだ。

③すごく頑張ったから、テストの$_a$□果が楽しみだ。
両親は$_b$□婚して25年になる。

| | | |
|---|---|---|
| ① | a | ＿＿＿度<br>（　　） |
| | b | 体＿＿＿計<br>（　　） |
| ② | a | ＿＿＿番<br>（　　） |
| | b | ＿＿＿然<br>（　　） |
| ③ | a | ＿＿＿果<br>（　　） |
| | b | ＿＿＿婚<br>（　　） |

6 ＿＿の部分の漢字には読み方を、平仮名には漢字を書きましょう。

①明日は9時にこちらへ参ります。
（　　ります）

②東京方面にいらっしゃる方は、次の駅でお乗り換えください。
（　　）

③今日の$_a$さいこうきおんは36度でした。$_b$ほんとうに暑い一日でしたね。
（　　）（　　）

④1週間いないに、報告してください。
（　　）

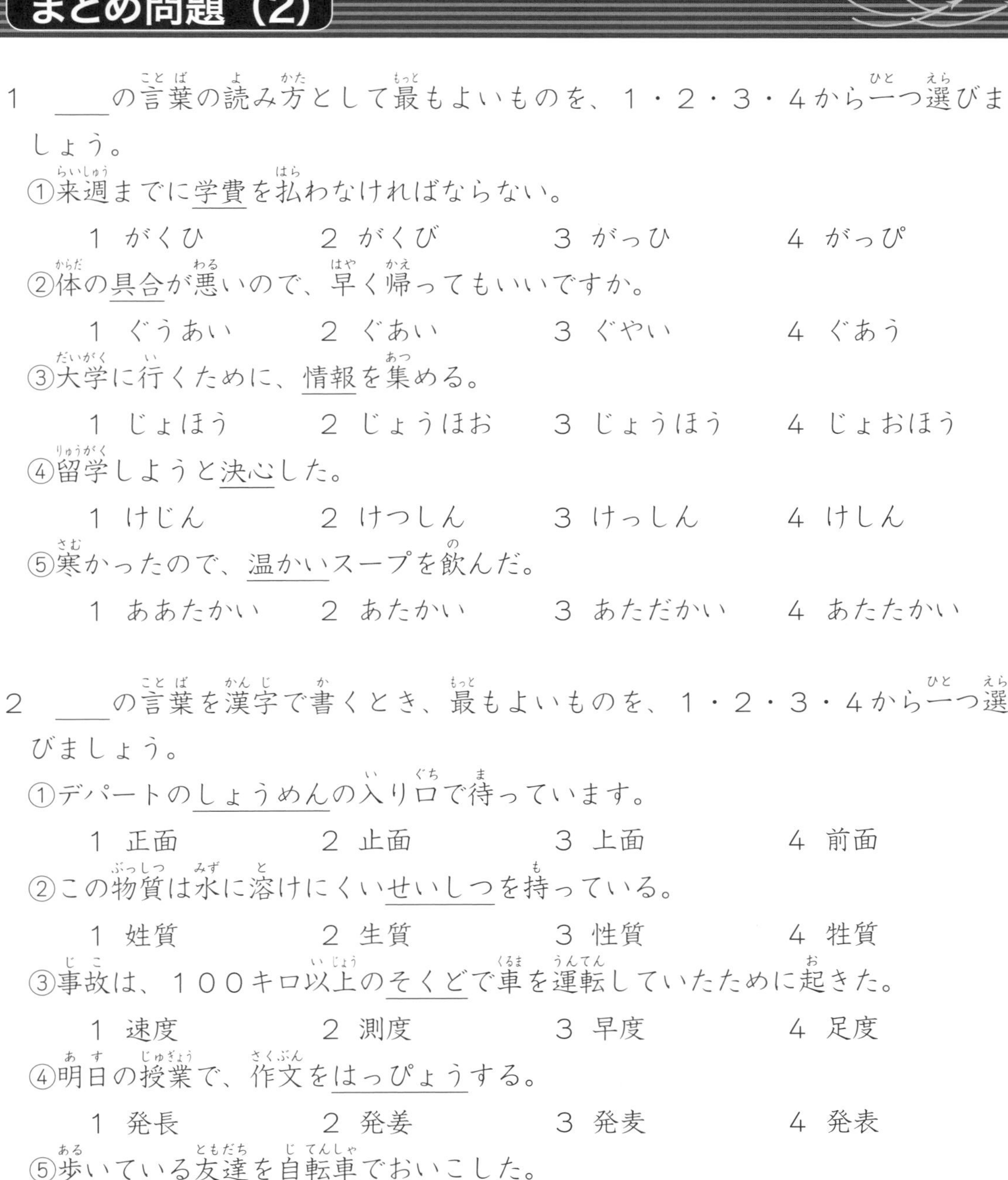

# まとめ問題（2）

1　＿＿の言葉の読み方として最もよいものを、１・２・３・４から一つ選びましょう。

①来週までに学費を払わなければならない。

１　がくひ　　２　がくび　　３　がっひ　　４　がっぴ

②体の具合が悪いので、早く帰ってもいいですか。

１　ぐうあい　　２　ぐあい　　３　ぐやい　　４　ぐあう

③大学に行くために、情報を集める。

１　じょほう　　２　じょうほお　　３　じょうほう　　４　じょおほう

④留学しようと決心した。

１　けじん　　２　けつしん　　３　けっしん　　４　けしん

⑤寒かったので、温かいスープを飲んだ。

１　ああたかい　　２　あたかい　　３　あただかい　　４　あたたかい

2　＿＿の言葉を漢字で書くとき、最もよいものを、１・２・３・４から一つ選びましょう。

①デパートのしょうめんの入り口で待っています。

１　正面　　２　止面　　３　上面　　４　前面

②この物質は水に溶けにくいせいしつを持っている。

１　姓質　　２　生質　　３　性質　　４　牲質

③事故は、１００キロ以上のそくどで車を運転していたために起きた。

１　速度　　２　測度　　３　早度　　４　足度

④明日の授業で、作文をはっぴょうする。

１　発長　　２　発姜　　３　発麦　　４　発表

⑤歩いている友達を自転車でおいこした。

１　追い越した　　２　近い越した　　３　追い越した　　４　迎い越した

3 ＿＿の言葉を漢字で書くとき、＿＿の漢字が他と違うものを１・２・３・４の中から一つ選びましょう。

例）１ 道のりょうがわに土産物屋が並んでいる。
　２ 彼女はりょうしんと一緒に住んでいる。
　３ 転んでりょうほうの足をけがした。
　④ スーパーでしょくりょう品を買った。

①１ 図書館で雑誌のきじを探した。
　２ 彼はスポーツ新聞のきしゃだ。
　３ この割引券は決められたきかんにしか使えない。
　４ 申し込み用紙に住所と名前をきにゅうしてください。

②１ 彼はしんようできる人だ。
　２ 結果がしんぱいで眠れなかった。
　３ 彼女は彼の言葉をしんじた。
　４ しんごうが赤に変わった。

③１ 毎朝、やさいのジュースを飲む。
　２ 研究室をさいごに出たのは彼だ。
　３ 観光客の数は過去さいこうになった。
　４ 彼女はさいきん疲れているようだ。

④１ 風邪を引いて、ないかの病院に行った。
　２ 結婚しない人がぞうかしている。
　３ 料理の注文をついかした。
　４ 公園を掃除するボランティアにさんかした。

4　＿＿の部分の漢字には読み方を、平仮名には漢字を書きましょう。

オリンピック会場からリポートします。
もうすぐ世界 a さいだい のスポーツのお祭り、オリンピックが始まります。各国の b 代表 選手が集まってきました。選手の皆さんには c 全力 で戦って、よい d 結果 を出してほしいです。きっとたくさんの e かんどうてきな 試合が見られるでしょう。f 本当 に楽しみです！

| a | b | c | d |
|---|---|---|---|
| e　　　　な | f | | |

# 第3部

## 場面の言葉を作る漢字

1 ＿＿の部分の読み方を書きましょう。

夕日コーヒー株式会社

営業部

山本　道子

Tel: 03-××××××××

E-mail: myamamoto@xxx.ne.jp

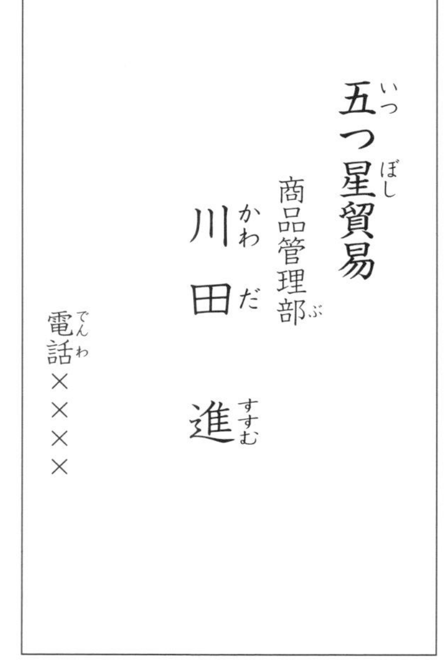


山本：初めまして。夕日コーヒーの山本と申します。

川田：五つ星a貿易の川田です。山本さんはb営業部にいらっしゃるんですね。

山本：はい。c広告やCMを作っています。川田さんのd商品管理というお仕事は？

川田：主に、e輸入した製品に問題がないか調べる仕事です。問題がある場合は、f技術の指導なども行っています。

山本：面白そうですね。

| a | b　ぶ | c | d |
|---|---|---|---|
| e | f | | |

2 正しいものを選びましょう。

①原料（a げんりょう　b げんりょ　c けんりょう）が値上がりしたので、製品の値段が上がった。

②新しいきかい（a 機戒　b 機誡　c 機械）が入ってから、生産が伸びた。

③父は、コンピューター関係の会社のかちょう（a 課長　b 科長　c 菓長）だ。

④ろうどう（a 労動　b 労働　c 労慟）条件がいい会社で働きたい。

⑤人は誰でも、しょくぎょう（a 聴業　b 織業　c 職業）を選ぶ権利がある。

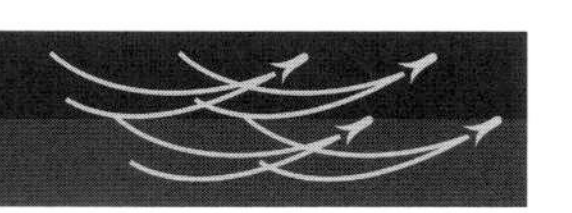

3　＿＿の部分の漢字には読み方を、平仮名には漢字を書きましょう。

①人口が減って、駅の前の商店も閉めるところが増えた。

（　　　　　）

②機会があれば、海外で働いてみたい。

（　　　　　）

③母はしゅじゅつが成功して、おかげさまで元気になりました。

（　　　　　）

④港には、ゆしゅつされる車が並んでいる。

（　　　　　）

4　説明に合うように、□の中の漢字を使って、表を完成しましょう。読み方も書きましょう。

| ~~教~~　農　建　造　商 |
|---|

学校などで働く人は、300万人よりも少し少ない。

2番目に多いのが、工場で物を作る仕事をしている人だ。

米や野菜などを作っている人は、情報・通信の仕事をしている人よりも多い。

| 産業の種類 | 働いている人数 |
|---|---|
| 例）教育・学習関係（きょういく） | 299万人 |
| ①＿＿＿業（　　　） | 1057万人 |
| ②製＿＿＿業（　　　） | 1039万人 |
| ③＿＿＿設業（　　　） | 499万人 |
| ④＿＿＿業・林業（　　　） | 217万人 |
| 情報・通信業 | 192万人 |

いちばん多いのは、スーパーや店などで働く人だ。

②の約半分の人が、ビルや橋、道路などを造る仕事をしている。

総務省「労働力調査」

（http://www.stat.go.jp/data/roudou/longtime/03roudou.htm）

（第12回改定日本標準産業分類別就業者数　平成25年平均結果）

# 第8回 音 政治・経済・社会（2）

Politics, economy and society (2)
政治・经济・社会(2)

1 ＿＿の部分の読み方を書きましょう。

## 3Acom速報サイト

| 社会 | 政治 | 経済 | a国際 | 文化 |
|---|---|---|---|---|

▶ b政府、５年で10%の経済c成長を目指す計画。
同時にd公務員を５%減らすと発表。

▶ 子供のe権利を守ろう。
大阪でボランティアf団体がg会議。

▶ ………


日本語のテキストは
スリーエー
『新完全マスター漢字
N3 レベル』 発売中

～ＰＲ～


| a | b | c | d |
|---|---|---|---|
| e | f | g | |

2 正しいものを選びましょう。

①たくさんの国の大学生が広島に集まって、平和（aへわ　bへいわ　cへいは）について話し合った。

②総理大臣（aそうりだいしん　bそりたいじん　cそうりだいじん）は、S国を訪問するために出発した。

③子供の数が減っているのは、多くの国に共通（aきょうつう　bきょつう　cこうつう）の問題だ。

④a役所（aやくしょ　bやくじょ）から、bぜいきん（a租金　b鋭金　c税金）の知らせが来た。

⑤防災のきほんてき（a基本的　b碁本的）な考え方を見直す必要がある。

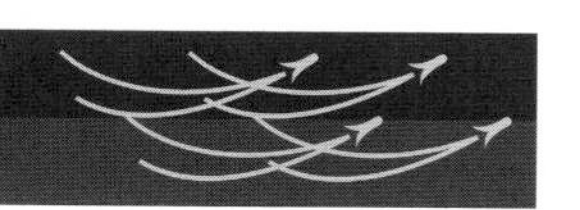

3　□には同じ漢字が入ります。［　　］から、漢字を選んで書きましょう。＿＿の部分の読み方も書きましょう。

| 力　完　制　件 |
|---|

①外で遊ばなくなったために、子供たちの a体□が落ちている。
A国はB国に対して、経済的な b協□を約束した。

②会社に労働 a条□を守るように、要求した。
公園で人が殺されるという b事□があったそうだ。

③新しい病院の a□成を、みんなが待っている。
犯罪を b□全に無くすことは、非常に難しい。

④この道路は、スピードが60キロに a□限されている。
老人が増えたため、健康保険の b□度を変える必要がある。

| | | |
|---|---|---|
| ① | a | 体＿＿＿＿（　　　　） |
| | b | 協＿＿＿＿（　　　　） |
| ② | a | 条＿＿＿＿（　　　　） |
| | b | 事＿＿＿＿（　　　　） |
| ③ | a | ＿＿＿＿成（　　　　） |
| | b | ＿＿＿＿全（　　　　） |
| ④ | a | ＿＿＿＿限（　　　　） |
| | b | ＿＿＿＿度（　　　　） |

4　＿＿の部分の漢字には読み方を、平仮名には漢字を書きましょう。

　みどり町では、去年の洪水でたくさんの家が流されました。町は、家を無くした人のために a団地の建設を進めてきました。そして今日、15家族が完成した団地に引っ越して、新しい生活を始めました。団地の中央にある管理 bじむしょには、 cかいぎしつのほか、 d和室も作られています。
　引っ越してきた大川さんは、「和室は、みんなでおしゃべりしたり、趣味に使ったりできるので、きっと eやくにたつと思う」と話していました。

| a | b | c | d |
|---|---|---|---|
| e　　に　　つ | | | |

# 第9回 音訓　政治・経済・社会（3）

Politics, economy and society (3)
政治・经济・社会(3)

1　＿＿の部分の読み方を書きましょう。

## 3Aデジタルニュース

| 政治 | 経済 | 社会 | 文化 | スポーツ |
|---|---|---|---|---|

▶田中真一 a選手、オリンピック代表に決まる！

昨日の全国水泳大会で、田中選手が b優勝して、代表に決まった。
田中選手は c現在13歳で、久しぶりに大型の選手が d現れたと話題になっている。

―― 田中選手のインタビュー ――

記者：優勝、おめでとうございます。
田中：ありがとうございます。e勝つことができて、本当にうれしいです。
　　オリンピック選手にも f選ばれて、夢のようです。
記者：今回山田選手は、けがが g治っていなかったために、出場しませんでしたが…。
田中：はい、山田選手と h戦っていたら、優勝できたかどうか分かりません。

| a | b | c | d　　れた |
|---|---|---|---|
| e　　つ | f　　ばれて | g　　って | h　　って |

2　正しいものを選びましょう。

①物の価値（aかち　bかね）は、その値段だけでは決まらない。
②天ぷらを作るから、油（aゆ　bおぶら　cあぶら）を買ってきて。
③二つの国は、100年前まで戦争（aせんそう　bせんそ　cせんぞお）をしていた。
④毎朝、経済（aけいせい　bけいずい　cけいざい）のニュースを読んでいる。
⑤男は1億円のげんきん（a現金　b理金　c児金）を持って逃げた。
⑥この仕事がすんだら（a住んだら　b済んだら　c斎んだら）、少し休みましょう。

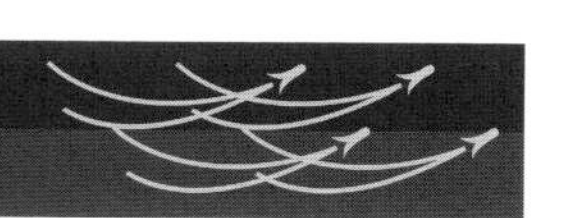

3　□には同じ漢字が入ります。[　　]から、漢字を選んで書きましょう。＿＿の部分の読み方も書きましょう。

| 経　　治　　石 |
|---|

①前の会社の$_a$□験が今の仕事に役立っている。
父は化粧品の会社を$_b$□営している。

②これは、$_a$□のように硬いですが、実は、$_b$□油から作られた製品です。

③彼は、貧乏な人を無くしたいと思って、$_a$政□家になった。
がんは、昔は$_b$□らない病気だと考えられていた。

| | | |
|---|---|---|
| ① | a | ＿＿＿験<br>（　　　　） |
| | b | ＿＿＿営<br>（　　　　） |
| ② | a | ＿＿＿<br>（　　　　） |
| | b | ＿＿＿油<br>（　　　　） |
| ③ | a | 政＿＿＿家<br>（　　　　） |
| | b | ＿＿＿らない<br>（　　　らない） |

4　＿＿の部分の読み方を書きましょう。

今晩は。7時のニュースです。
この半年間$_a$値上がりが続いていた$_b$段ボール、トイレットペーパーなどが少し下がり始めて、$_c$物価は少し落ち着いてきました。
次のニュースです。$_d$女優の山川さゆりさんが、今日、病院で亡くなりました。95歳でした。ファンは、「山川さんの$_e$優しい笑顔が、忘れられません。」と話していました……。

| | | | |
|---|---|---|---|
| a　　　　がり | b　　　　ボール | c | d |
| e　　　　しい | | | |

# まとめ問題（3）

1　＿＿の言葉の読み方として最もよいものを、1・2・3・4から一つ選びましょう。

①税金を払う期限は、3月15日です。

1　きけん　　2　きげん　　3　きがん　　4　きかん

②働きやすい職場にしてもらいたい。

1　しょくじょう　　2　しょくば　　3　しきば　　4　しきじょう

③この高校の制服は、とてもすてきだと思う。

1　せぶく　　2　せふく　　3　せいぶく　　4　せいふく

④社会に出てから役立つことを学びたい。

1　やくだつ　　2　やくたつ　　3　やっくだつ　　4　やっくたつ

⑤歌手が現れると、みんな立ち上がって拍手した。

1　あだわれる　　2　あらわれる　　3　あなわれる　　4　あばわれる

2　＿＿の言葉を漢字で書くとき、最もよいものを、1・2・3・4から一つ選びましょう。

①会議のほうこくを早く出してください。

1　報告　　2　方吉　　3　公告　　4　放告

②この町は、こうえんが多くて住みやすい。

1　玄園　　2　公園　　3　広遠　　4　校園

③あなたの国と日本では、どちらがぶっかが高いですか。

1　物個　　2　物値　　3　吻価　　4　物価

④フライパンにあぶらを入れて、肉を焼きます。

1　油　　2　由　　3　油　　4　柚

⑤早く病気をなおしてくださいね。

1　正して　　2　直して　　3　治して　　4　怡して

3 ＿＿の部分の読み方を書きましょう。

①自分たちの考えを、社会に a広く知ってもらうために、新聞に意見 b広告を出した。

② c働いている人たちの d労働条件について、皆で話し合った。

③マンションの e建設が計画されて、準備のための事務所が f建てられた。

| a　　　　く | b | c　　　いて | d |
|---|---|---|---|
| e | f　　　てられた | | |

4 □から漢字を選んで、文を完成しましょう。読み方も書きましょう。

| ~~試~~ | 協 | 制 | 輸 | 団 | 成 |
|---|---|---|---|---|---|

例）高校の入学 **試** 験に合格したので、祖母がお祝いを送ってくれた。

（ **にゅうがくしけん** ）

①事故の原因は、運転手が＿＿＿限速度を守らなかったことだ。

（　　　　　　）

②消費が伸びているので、政府は今年の経済＿＿＿長を５％と予想している。

（　　　　　　）

③どうしたら戦争が無くせるかを話し合うために、世界中から平和＿＿＿体が集まった。

（　　　　　　）

④このスーパーでは、国内で生産された物と並んで、＿＿＿入食品も売られている。

（　　　　　　）

⑤地球の環境を守るためには、国際＿＿＿力が必要だ。

（　　　　　　）

1 ＿＿の部分の読み方を書きましょう。

学生の皆さんへお知らせ

注意！
a欠席が多いとb卒業できません。毎日c授業にd出席すること！

韓国語e文法テスト
6月20日（月）
60f点以上がg合格。

h宿題のレポート
7月5日までに提出。

| a | b | c | d |
|---|---|---|---|
| e | f | g | h |

2 正しいものを選びましょう。

①今月の雑誌（aざし　bざつし　cざっし）の教育問題の記事は、面白かった。

②いろいろな方法（aほうほ　bほうほう　cほうぼう）で、実験をやってみた。

③絵も音楽もげいじゅつ（a芝術　b芋術　c芸術）の一つだ。

④どんな人にもけってん（a欠点　b失点　c悪点）はあります。

3 ＿＿の部分の読み方を書きましょう。

①読めない漢字を辞書で調べた。
（　　　　）

②答えは解答用紙に書いてください。
（　　　　）

③昨日のテストは簡単だった。
（　　　　）

④妹は高等学校の３年生です。
（　　　　）

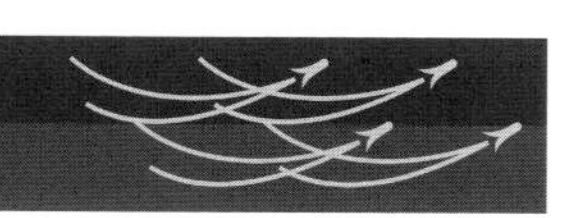

4　□には同じ漢字が入ります。［　］から、漢字を選んで書きましょう。＿＿の部分の読み方も書きましょう。

| 立　格　解 |
|---|

①医師の$_a$資□をとるために、大学で勉強している。
田中さんは、まじめで明るい$_b$性□の人です。

②$_a$私□大学に通っているので、お金がかかる。
$_b$公□の高校に行きたいが、試験が難しいらしい。

③外国語の勉強には、その国の文化を$_a$理□することが必要だ。
政府は、教育問題を$_b$□決するために委員会を作った。

| | |
|---|---|
| ① | a　資＿＿＿＿（　　　　） |
| | b　性＿＿＿＿（　　　　） |
| ② | a　私＿＿＿＿（　　　　） |
| | b　公＿＿＿＿（　　　　） |
| ③ | a　理＿＿＿＿（　　　　） |
| | b　＿＿＿＿決（　　　　） |

5　［　］から漢字を選んで書きましょう。読み方も書きましょう。

| 短　格　資　説 |
|---|

**留学生の進学情報　目次**

1　観光の勉強ができる$_a$＿＿＿期大学……25
（　　　　　）

2　$_b$合＿＿＿までの道（5）……35
（　　　　）　みどり大学1年キム　ヒョンジン

3　6月の模擬テストの$_c$解＿＿＿……38
（　　　　　）

4　高木先生の勉強アドバイス……45

5　専門学校案内……47

$_d$＿＿＿料が欲しい方は、インターネット
（　　　　）　または電話で。

6　入学試験までの健康管理……50

観光の勉強がしたいんだけど、大学の4年は長いから、このページを見てみよう。

入学試験まであと半年か。何を勉強したらいいか、これを読めば分かるかな。

6月のテストは、難しくて分からない問題が多かった。読んで勉強しよう。

僕は、専門学校でアニメが勉強したいんだ。早速電話で頼んでみよう。

模擬テスト：Mock examination　模拟测试

## 第11回 音 教育・文化・生活（2）

Education, culture and lifestyle (2)
教育・文化・生活(2)

1 ＿＿の部分の読み方を書きましょう。

**✚ ひがし病院**

- 健康 a保険がない方は相談してください。
- bお支払いはカードでもできます。
- 検査の方は3番窓口へ。
- c退院の手続きの方は5番窓口です。

← d薬局　　　　e非常口 →

| a | b お　　　　い | c | d |
|---|---|---|---|
| e | | | |

2 正しいものを選びましょう。

①頭が痛かったので、学校を早退（aはやたい　bそくたい　cそうたい）した。

②父のざいさん（a財産　b材産）を兄弟で分けた。

③aしゅうにゅう（a収入　b收入）がいくらか、bけいさん（a計笡　b計算）した。

④日曜日は、おたく（aお宅　bお家　cお宇）にいらっしゃいますか。

3 □の中から漢字を選んで、文を完成しましょう。読み方も書きましょう。

| 予　　球　　支　　給 |
|---|

①月は、地＿＿＿の周りを約30日で回っている。
（　　　　　　）

②先月は引っ越しにお金を使ったので、いつもより＿＿＿出が多かった。
（　　　　　　）

③今日の学校の＿＿＿食は、私が大好きなメニューだった。
（　　　　　　）

④海外旅行にどのくらいお金がかかるか調べて、＿＿＿算を立てた。
（　　　　　　）

4 ____の部分(ぶぶん)の漢字(かんじ)には読(よ)み方(かた)を、平仮名(ひらがな)には漢字(かんじ)を書(か)きましょう。

♪ マナの部屋(へや) ♬

Mana's official blog

201X-7-25 20:15:03

お久(ひさ)しぶり。実(じつ)は、先週(せんしゅう)、引(ひ)っ越(こ)しをしまして…。忙(いそが)しくて、アップできませんでした。

初(はじ)めての一人(ひとり)の a<u>せいかつ</u>で、やっていけるかなあ。

部屋(へや)は、マンションの b<u>2かい</u>です。昨日(きのう)、ドラマの撮影(さつえい)が終(お)わったので、午前中(ごぜんちゅう)は部屋(へや)の掃除(そうじ)をして、友達(ともだち)がくれた c<u>え</u>を飾(かざ)ったり、カーテンを替(か)えたりしました。

午後(ごご)は市役所(しやくしょ)へ d<u>書類</u>を出(だ)しに行(い)きました。誰(だれ)もマナだと気(き)が付(つ)かなかったみたい。そのあと、ちょっとお店(みせ)に寄(よ)って、新(あたら)しい e<u>食器</u>を買(か)って…。そうそう、シャワーがちょっとおかしいので、f<u>修理</u>を頼(たの)まなくちゃ。何(なん)でも一人(ひとり)でやらなくちゃいけないんだよね。

しばらく休(やす)んでいた音楽(おんがく) g<u>かつどう</u>もまた始(はじ)めるつもりです。

楽(たの)しみにしていてくださいね。

アップする：Upload, update (a blog)　上传、(博客) 更新

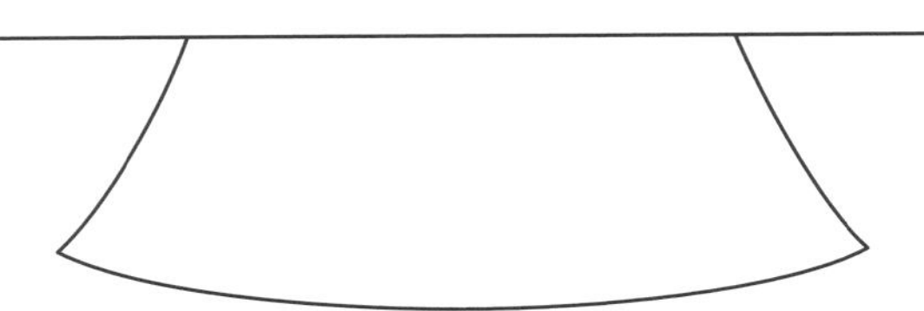

| a | b　2 | c | d |
|---|---|---|---|
| e | f | g | |

# 第12回 音 教育・文化・生活（3）

Education, culture and lifestyle (3)
教育・文化・生活(3)

1　＿＿の部分の読み方を書きましょう。

パーティーの計画、できた？

うん、これでどうかな。

♡ ともや君とさつきさんの結婚パーティー ♡

（a<u>式</u>が終わったら、すぐにb<u>準備</u>を開始します）

15時　　：開会の挨拶　　　c<u>司会</u>（古田）
　　　　　二人のd<u>紹介</u>　　　e<u>出身</u>高校の友人代表（山中、森）
　　　　　お祝いの言葉　　職場の友人代表（花山、星川）
　～　　　楽器演奏や歌など　　（木村、田中）
　　　　　思い出の写真をスライドで　　（大木）
17時　　：f<u>記念</u>写真
17時30分：終わりの挨拶

スライド：Slide　幻灯片

| a | b | c | d |
| --- | --- | --- | --- |
| e | f | | |

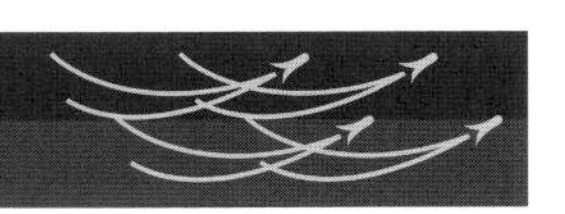

2　正しいものを選びましょう。

①今は、かなり多くの主婦（aしゅうふ　bしゅふ　cしぇふ）が仕事を持っている。

②みらい（a未来　b末来　c朱来）は自分の力で変えられる。

③来月、A国のこくおう（a国帝　b国玉　c国王）が来日する。

④外国語を学ぶろうじん（a老人　b考人　c孝人）が増えているという。

⑤息子は病院でいし（a医氏　b医師　c医追）として働いている。

3　□には同じ漢字が入ります。［　］から、漢字を選んで書きましょう。＿＿の部分の読み方も書きましょう。

| 達　原　失　身 |
|---|

①手紙が早く着くように、a速□で出した。
子供の言葉は、1歳から3歳ごろまでに急にb発□する。

②私は北海道のa出□ですが、寒さに弱いです。
彼はb□長が180cmで、足も長い。

③1回ぐらいa□敗しても、よく反省して次に頑張ればいい。
b□業する人が増えて、社会問題になっている。

④事故のa□因を調査した。
石油はプラスチック製品のb□料になる。

| | | |
|---|---|---|
| ① | a | 速＿＿＿＿（　　　　） |
| | b | 発＿＿＿＿（　　　　） |
| ② | a | 出＿＿＿＿（　　　　） |
| | b | ＿＿＿＿長（　　　　） |
| ③ | a | ＿＿＿＿敗（　　　　） |
| | b | ＿＿＿＿業（　　　　） |
| ④ | a | ＿＿＿＿因（　　　　） |
| | b | ＿＿＿＿料（　　　　） |

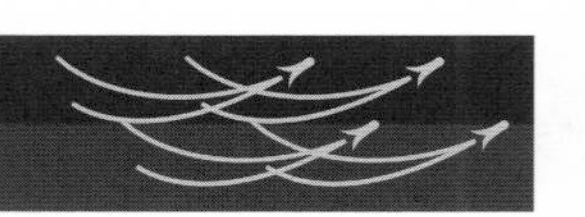

4　＿＿の部分(ぶぶん)の漢字(かんじ)には読(よ)み方(かた)を、平仮名(ひらがな)には漢字(かんじ)を書(か)きましょう。

さつき：いい知(し)らせ(*^_^*)　午前中(ごぜんちゅう)、a産婦人科に行(い)ってきた。
そしたら、赤(あか)ちゃんができたって(＾◇＾)

ともや：え！　ホント！？　やったー(^O^)／
でも、どうして言(い)ってくれなかったの？　b普通、言(い)うだろ？
どこの病院(びょういん)に行(い)ったの？

さつき：ごめんね。驚(おどろ)かせようと思(おも)って。
病院(びょういん)は、かなちゃんがcしょうかいしてくれたところ。

ともや：そうか。僕(ぼく)からも彼女(かのじょ)にdおれいを言(い)わなくちゃ。
そうだ、僕(ぼく)たちのe未来の家族(かぞく)のために、今日(きょう)はお祝(いわ)いしよう！
君(きみ)が仕事(しごと)が続(つづ)けられるように、協力(きょうりょく)するよ。

さつき：ありがとう♡　fやくそくね。

| a | b | c | d　お |
|---|---|---|---|
| e | f | | |

# 教育・文化・生活（4）

Education, culture and lifestyle (4)
教育・文化・生活(4)

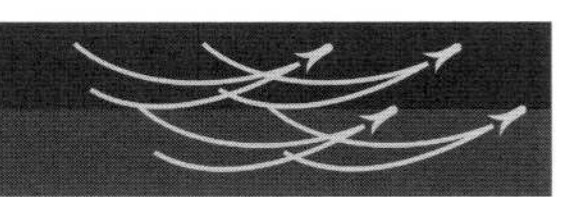

1　＿＿の部分の読み方を書きましょう。

## 夏の講座のお知らせ

市中央センター

文化講座

8月3日　地域の a歴史と b文化を考える

料理教室

8月5日　食品の c保存の方法

夏休み子供実験教室

8月1日　ペットボトルで d化学の実験！　身近な e疑問を調べよう

子供作文教室

8月10日　f読書の g感想を書こう

| a | b | c | d |
|---|---|---|---|
| e | f | g | |

2　正しいものを選びましょう。

①試合は5対（aつい　bたい　cと）3で勝った。

②田中先生をご存じ（aごそんじ　bごぞんじ　cごそうじ）ですか。

③子供の成長には、あいじょう（a愛情　b愛清　c愛晴）が必要です。

④そのよそう（a予箱　b予想　c予霜）は全く外れてしまった。

⑤彼女にはピアノのさいのう（a才能　b丈能　c寸能）がある。

3　□の中から漢字を選んで、文を完成しましょう。読み方も書きましょう。

| 検 | 不 | 満 | 可 | 反 |
|---|---|---|---|---|

①今の生活に＿＿＿足しています。

（　　　　）

②目が疲れて本が読めないので、病院で＿＿＿査してもらった。

（　　　　）

③私たちは、練習が足りなかったことを＿＿＿省した。

（　　　　）

④忙しくて、睡眠時間が＿＿＿足している。

（　　　　）

⑤買ってから１週間以内なら、お取り替えが＿＿＿能です。

（　　　　）

4　＿＿の部分の読み方を書きましょう。

「結婚と家庭」についてのアンケートにご協力ください。

性別：男・女

年齢：a20～29才・30～39才・40才以上

①「b愛があれば、お金はなくてもいい」という意見に賛成ですか。

はい・いいえ・分からない

②結婚相手のc学歴について、どう思いますか。

自分と同じぐらいの人がいい・自分と全然違っていてもいい・分からない

③親がd反対したら、好きな人でも別れますか。

別れない・別れる・親が賛成してくれるまで待つ・分からない

④子供の教育は、父親と母親のどちらのe責任のほうが大きいと思いますか。

両方同じだ・母親のほうが大きい・父親のほうが大きい・分からない

⑤あなたのf理想の家庭は、どんな家庭ですか。自由に書いてください。

| a　20～29 | b | c | d |
|---|---|---|---|
| e | f | | |

## 第（だい）14回（かい） 音訓 教育（きょういく）・文化（ぶんか）・生活（せいかつ）（5）

Education, culture and lifestyle (5)
教育・文化・生活(5)

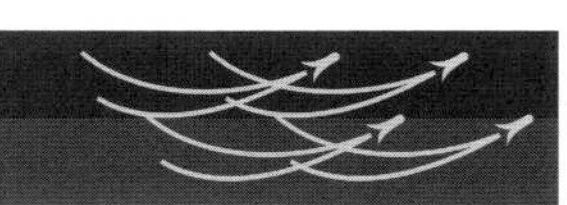

1 ＿＿の部分（ぶぶん）の読（よ）み方（かた）を書（か）きましょう。

みほちゃん、結婚（けっこん）してから、そろそろ１年（ねん）？

うん、来月（らいげつ）でね。でも、まだ a夫婦 という感（かん）じがしないわ。b夫 じゃなくて恋人（こいびと）って感（かん）じかな。

毎日（まいにち）仕事（しごと）と家事（かじ）で大変（たいへん）でしょ？

まあね。でも、c勤めて いる会社（かいしゃ）が近（ちか）いから、朝（あさ）はゆっくり d出勤 できるし、彼（かれ）もよくやってくれるから。

それはいいね！

今度（こんど）の e連休 は、両方（りょうほう）の両親（りょうしん）を f連れて 温泉（おんせん）に行（い）くの。久（ひさ）しぶりの家族旅行（かぞくりょこう）だから、とっても楽（たの）しみ！

| a | b | c　　　めて | d |
|---|---|---|---|
| e | f　　　れて | | |

2　正しいものを選びましょう。

①この$_a$香水（aこうずい　bこうすい）の$_b$香り（aかおり　bにおり）が好きです。

②来週の忘年会（aぼねんかい　bぼうねんかい）には出席されますか。

③出血（aしゅうけつ　bしゅっけつ　cしゅげつ）がひどいので、救急車を呼んだ。

3　□には同じ漢字が入ります。［　　］から、漢字を選んで書きましょう。＿＿の部分の読み方も書きましょう。

| 夢　庭　幸　君 |
|---|

①父は、仕事も$_a$家□も大切にする人だった。
今度引っ越した家は、$_b$□があるので、いろいろな花を育てたい。

②会議で、社長から、「$_a$田中□、$_b$□はどう思う？」と意見を聞かれた。

③息子は新しいゲームに$_a$□中になっている。
自分の会社を作ることは、子供の頃からの$_b$□だった。

④好きな人と結婚できて$_a$□せだ。
みんなが$_b$□福に生活できる社会に、早くなってほしい。

| | | |
|---|---|---|
| ① | a | 家＿＿＿＿（　　　） |
| | b | ＿＿＿＿（　　　） |
| ② | a | 田中＿＿＿＿（たなか　　） |
| | b | ＿＿＿＿（　　　） |
| ③ | a | ＿＿＿＿中（　　　） |
| | b | ＿＿＿＿（　　　） |
| ④ | a | ＿＿＿＿せ（　　　せ） |
| | b | ＿＿＿＿福（　　　） |

4　［　　］の中から漢字の部分を選んで、漢字を完成しましょう。読み方も書きましょう。

| 妾　辶　心　关 |
|---|

①今度の選挙の結果に、国民は強い［門］心を持っている。
（　　　　）

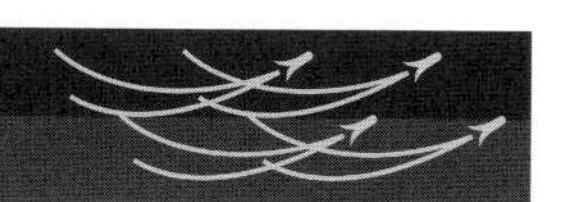

②次(つぎ)の面【扌 】に合格(ごうかく)すれば、就職(しゅうしょく)が決(き)まる。

（　　　　　）

③行(い)き方(かた)が分(わ)からなかったので、木村(きむら)さんに【車】れていってもらった。

（　　　　れて）

④結婚記念日(けっこんきねんび)を【亡】れて、妻(つま)に怒(おこ)られてしまった。

（　　　　れて）

5　＿＿の部分(ぶぶん)の漢字(かんじ)には読(よ)み方(かた)を、平仮名(ひらがな)には漢字(かんじ)を書(か)きましょう。

①a他に質問(しつもん)がある場合(ばあい)は、b係の者(もの)にお聞(き)きください。

（　　　　）　　　（　　　　）

②a他人から注意(ちゅうい)される前(まえ)に、自分(じぶん)でやり方(かた)をb見直したほうがいい。

（　　　　）　　　（　　　　した）

③a歯が痛(いた)くて、bちも出(で)ていたので、朝(あさ)すぐに近所(きんじょ)のc歯科に行(い)った。

（　　　　）（　　　　）　　　（　　　　）

④ここから富士山(ふじさん)まで、直線の距離(きょり)で約(やく)２００キロだ。

（　　　　）

6　＿＿の部分(ぶぶん)の読(よ)み方(かた)を書(か)きましょう。

アメリカでa通勤時間(じかん)とb幸福だと感(かん)じる程度(ていど)のc関係について、調査(ちょうさ)が行(おこな)われた。それによると、通勤時間(じかん)が長(なが)い人(ひと)ほど幸福だと感(かん)じられなくなり、特(とく)に90分以上(ぶんいじょう)かかる人(ひと)は、悩(なや)むことが多(おお)くなるそうだ。通勤時間(じかん)が長(なが)いと、d家庭でのe夫婦の会(かい)話(わ)も少(すく)なくなるだろう。また、一日(いちにち)の行動(こうどう)の中(なか)でも、朝(あさ)の通勤をfしあわせだと感(かん)じる人(ひと)はほとんどいなかったという。

近(ちか)い職場(しょくば)にgつとめることは、通勤時間(じかん)が長(なが)い人(ひと)にとってはh夢かもしれない。

| a | b | c | d |
|---|---|---|---|
| e | f　　　　せ | g　　　　める | h |

## まとめ問題（4）

1 ＿＿の言葉の読み方として最もよいものを、1・2・3・4から一つ選びましょう。

①国立の大学に入りたい。

1 こくたち　2 こくりつ　3 くにりつ　4 くにたつ

②夫は毎日電車で通勤している。

1 とおぎん　2 つうぎん　3 とおきん　4 つうきん

③会っても挨拶もしない。彼は本当に失礼な人だ。

1 しっれん　2 しっれい　3 しつれえ　4 しつれい

④この電車は、いつも満員だ。

1 まいん　2 まんいん　3 まんにん　4 まんい

⑤今まで不幸な人生だったが、今はとても幸せだ。

1 ふっこう　2 ふうこ　3 ふうごう　4 ふこう

2 ＿＿の言葉を漢字で書くとき、最もよいものを、1・2・3・4から一つ選びましょう。

①電車でお年寄りにせきを譲った。

1 席　2 度　3 店　4 庶

②この会社は休みも多いし、きゅうりょうも高い。

1 紛料　2 給料　3 給科　4 紹科

③天気よほうによると、明日は晴れるそうだ。

1 矛報　2 予報　3 予服　4 矛服

④そのほかに質問はありませんか。

1 弛　2 地　3 池　4 他

⑤新しく会社に入った社員は、全員けんしゅうを受けなければならない。

1 検修　2 研條　3 研修　4 検條

3　＿＿の部分(ぶぶん)の読(よ)み方(かた)を書(か)きましょう。

①間違(まちが)えた漢字(かんじ)を先生(せんせい)にa直してもらった。
　この書類(しょるい)は、b直接窓口(まどぐち)まで持(も)ってきてください。

②c失業した人(ひと)の数(かず)は、今年(ことし)のほうが去年(きょねん)より少(すく)なくなっている。
　過去(かこ)のd失敗から学(まな)ぶことが大切(たいせつ)だ。

③私(わたし)はe文法と漢字(かんじ)が苦手(にがて)だ。
　もっと簡単(かんたん)にできるf方法を考(かんが)えた。

④この地域(ちいき)では医師(いし)がg不足している。
　彼(かれ)は今(いま)の生活(せいかつ)にh満足している。

⑤子供(こども)のとき、i計算が嫌(きら)いで、特(とく)にj引き算が苦手(にがて)だった。

| a　　　　して | b | c | d |
|---|---|---|---|
| e | f | g | h |
| i | j　　　き | | |

4　＿＿の部分(ぶぶん)の漢字(かんじ)には読(よ)み方(かた)を、平仮名(ひらがな)には漢字(かんじ)を書(か)きましょう。

①彼(かれ)のa短所は、よくb忘れ物をするところだ。

②この問題(もんだい)の解決(かいけつ)は、c非常に難(むずか)しい。

③妹(いもうと)は嫌(いや)がっていたが、d結局eはいしゃに行(い)った。

④f階段のgでんきゅうが切(き)れてしまって、とても暗(くら)い。

⑤この学校(がっこう)には、hやく50人(にん)のi教師がいる。

⑥子供(こども)たちは、j絵の具で絵を描(か)いたり、kがっきを弾(ひ)いたりしていた。

⑦lてんせんのとおりに紙(かみ)を切(き)ってください。

| a | b　　　れ | c　　　　に | d |
|---|---|---|---|
| e | f | g | h |
| i | j　　　の | k | l |

## 第15回 音　交通・旅行（1）
Transportation and travel (1)
交通・旅游(1)

1 ＿＿の部分の読み方を書きましょう。

**お知らせ**

ただいま、南山線は、a線路で起きたb事故のため、動いておりません。c地下鉄を利用されるdお客様には、e中央の改札口でf証明書を差し上げております。

北山g鉄道

| a | b | c | d お　　　さま |
|---|---|---|---|
| e | f | g | |

2 正しいものを選びましょう。

①子供の頃、遠足（aとおあし　bえんそく　cえんあし）が楽しみだった。

②航空機（aこくうき　bこうくうき　cこうくき）の写真を壁に張った。

③大型バスで市内を観光（aかんこう　bかんごう　cかんこ）した。

④道路（aどうろ　bとうろ　cとうろう）を横断するときは、車に注意してください。

3 ＿＿の中から漢字を選んで、文を完成しましょう。読み方も書きましょう。

| 億 | 個 | 倍 | 枚 | 秒 |
|---|---|---|---|---|

①東京の地下鉄を利用する人は、1年間で約31＿＿＿＿人だそうだ。

（31　　　　）

②友達と京都に行くので、切符を2＿＿＿＿買った。

（2　　　）

③飛行機の中には、荷物を何＿＿＿＿持って入れますか。

（　　　　）

④その年は、交通事故が38＿＿＿＿に1回起きていた。

（38　　　）

⑤タクシーは速(はや)いですが、お金(かね)が電車(でんしゃ)の4＿＿＿＿も高(たか)くかかりますよ。

（4　　　）

4　□には同(おな)じ漢字(かんじ)が入(はい)ります。□から、漢字(かんじ)を選(えら)んで書(か)きましょう。＿＿の部分(ぶぶん)の読(よ)み方(かた)も書(か)きましょう。

| 送　末　明 |
|---|

①電車(でんしゃ)の事故のニュースをテレビで$_{a}$放□していた。
５０００円以上(えんいじょう)の商品(しょうひん)の配達(はいたつ)は、$_{b}$□料がかかりません。

②電話(でんわ)はベルによって$_{a}$発□された。
雪(ゆき)のため新幹線(しんかんせん)が遅(おく)れているという$_{b}$説□があった。

③$_{a}$週□は山(やま)に行(い)って、月曜(げつよう)に帰(かえ)って来(く)るつもりだ。
新(あたら)しい駅(えき)が$_{b}$月□に完成(かんせい)する予定(よてい)だ。

| | | |
|---|---|---|
| ① | a | 放＿＿＿＿（　　　） |
| | b | ＿＿＿＿料（　　　） |
| ② | a | 発＿＿＿＿（　　　） |
| | b | 説＿＿＿＿（　　　） |
| ③ | a | 週＿＿＿＿（　　　） |
| | b | 月＿＿＿＿（　　　） |

5　＿＿の部分(ぶぶん)の漢字(かんじ)には読(よ)み方(かた)を、平仮名(ひらがな)には漢字(かんじ)を書(か)きましょう。

　1960年頃(ねんごろ)まで、日本(にほん)では、人(ひと)や物(もの)を運(はこ)ぶのは、主(おも)に$_{a}$てつどうだった。1970年(ねん)頃(ごろ)からは、$_{b}$かんこうの目的(もくてき)で旅行する人(ひと)や、$_{c}$個人や女性(じょせい)の$_{d}$旅行客が増(ふ)えたが、そのときも多(おお)くの人(ひと)はてつどうで旅行した。しかし、だんだんと物(もの)を運(はこ)ぶのにトラックが利用(りよう)されるようになって、$_{e}$こうそくどうろが全国(ぜんこく)に作(つく)られた。現在(げんざい)は、$_{f}$こうくうきも使(つか)われるようになって、スーパーなどには、外国(がいこく)からの野菜(やさい)や果物(くだもの)がたくさん並(なら)んでいる。

| a | b | c | d |
|---|---|---|---|
| e | f | | |

# 交通・旅行（2） Transportation and travel (2) 交通・旅游(2)

1 ＿＿の部分の読み方を書きましょう。

a美しい海とb島があなたを待っている！
南の海で魚と一緒にc泳ごう！
５日間ツアー

出発日：７月10日、17日、31日
ご希望の方はd美術館見学、e登山などもできます。

客：　すみません、ツアーの時間を知りたいんですが……。
ガイド：f空港を10時に出発して、g向こうの空港に着くのは12時の予定です。そこからh港までバスで行って、i船で島に渡ります。
客：　登山は経験がないのですが…。
ガイド：登山はご希望の方だけです。途中までバスで行って、そこからj登ります。高い山ではありませんから、経験がない人でも大丈夫です。
客：　そうですか。分かりました。

| a　　しい | b | c　　ごう | d |
|---|---|---|---|
| e | f | g　　こう | h |
| i | j　　ります | | |

2 正しいものを選びましょう。

①駅の方角（aほうこう　bほうかく　cほうがく）から、大きい音が聞こえる。
②ただいま、電波（aでんぱ　bでんば　cでんは）が届かない所にいます。
③車で送ってくれるというのを断った（aこどわった　bことわった　cこわとった）。
④車で半島（aはんど　bはんどう　cはんとう）のいちばん先まで行こう。
⑤どうぞ、おすわり（aお席り　bお座り　cお着り）ください。
⑥れんらく（a連洛　b連略　c連絡）したいことがあるので、電話をください。

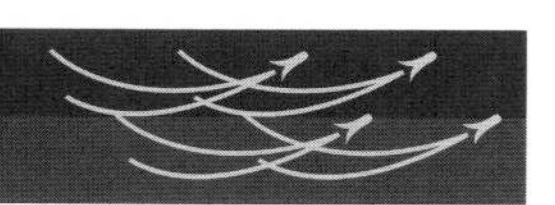

3　□には同じ漢字が入ります。□から、漢字を選んで書きましょう。＿＿の部分の読み方も書きましょう。

| 向 | 遊 | 横 | 置 |
|---|---|---|---|

①彼女は、レストランの入り口からすぐ見える a位□に座っていた。
座席の下に荷物を b□かないでください。

②信号がない道を a□断するときは、注意しよう。
駅の b□にバスの案内所がある。

③間違って、行きたい所と反対の a方□へ行ってしまった。
この車は町の中央に b□かっている。

④昨日は a□園地に行って一日中 b□んだ。

| | | |
|---|---|---|
| ① | a | 位＿＿＿（　　　） |
| | b | ＿＿かないで（　かないで） |
| ② | a | ＿＿断（　　　） |
| | b | ＿＿＿（　　　） |
| ③ | a | 方＿＿＿（　　　） |
| | b | ＿＿かって（　かって） |
| ④ | a | ＿＿園地（　　　） |
| | b | ＿＿んだ（　んだ） |

4　＿＿の部分の漢字には読み方を、平仮名には漢字を書きましょう。

①赤や黄色の a風船が、空に b飛んでいった。
（　　　）（　　んで）

②a飛行機では、窓側の b座席を選ぶことにしている。
（　　　）（　　　）

③先生に旅行のお土産を差し上げた。
（　し　げた）

④その四角い箱に、おもちゃの電車が入っている。
（　　い）

⑤今日は a波が高いので、bすいえいはできません。
（　　　）（　　　）

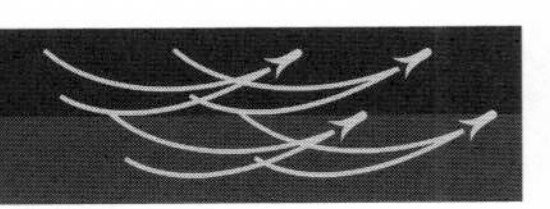

⑥急行電車(きゅうこうでんしゃ)が駅(えき)を<u>つうか</u>した。
(　　　　)

⑦病院(びょういん)は、次(つぎ)の$_a$<u>かど</u>を右(みぎ)に曲(ま)がって最初(さいしょ)の$_b$<u>こうさてん</u>を渡(わた)ると、すぐです。
(　　　　)　　　　(　　　　)

5 □の中(なか)から漢字(かんじ)を選(えら)んで、文(ぶん)を完成(かんせい)しましょう。読(よ)み方(かた)も書(か)きましょう。

(1)

| 島　方　登 |
|---|

(2回使(かいつか)う漢字(かんじ)があります)

ぽこぽこ山(やま)は$_a$半＿＿の先(さき)にあります。山(やま)の上(うえ)に立(た)
(　　　　)
つと、東(ひがし)の$_b$＿＿角に五(いつ)つの$_c$＿＿がよく見(み)えます。
(　　　　)　(　　　　)
ぽこぽこ山(やま)に$_d$＿＿山するには、南側(みなみがわ)の道(みち)がお薦(すす)め
(　　　　)
です。

(2)

| 術　船　火　過 |
|---|

ぽこぽこ山(やま)は昔(むかし)、$_e$＿＿山でした。近(ちか)くの湖(みずうみ)は、その影響(えいきょう)でできたものです。
(　　　　)
観光用(かんこうよう)の$_f$＿＿で、湖(みずうみ)を回(まわ)ることができます。すぐそばには、$_g$美＿＿館もあっ
(　　　　)　　　　(　　　　)
て、ゆっくり$_h$＿＿ごせる人気(にんき)の観光地(かんこうち)となっています。
(　　　ごせる)

# まとめ問題（5）

1　＿＿の言葉の読み方として最もよいものを、1・2・3・4から一つ選びましょう。

①日本と私の国との時差は5時間です。

1　じいさ　　2　ちさ　　3　じさ　　4　ときさ

②集合時間は、メールで連絡します。

1　れんらく　　2　れんだく　　3　れんなく　　4　れんがく

③来週、帰国する人の送別会があります。

1　そべつかい　　2　そうべつかい　　3　そべっかい　　4　そうべっかい

④忙しくて、月末まで休めません。

1　つきまつ　　2　がつまつ　　3　げっまつ　　4　げつまつ

⑤昨日、友達と遊園地に行って、とても楽しかった。

1　ゆえんち　　2　ゆえんじ　　3　ゆうえんじ　　4　ゆうえんち

2　＿＿の言葉を漢字で書くとき、最もよいものを、1・2・3・4から一つ選びましょう。

①映画館の前には、たくさんのかんきゃくが並んで立っていた。

1　歓客　　2　勧客　　3　観客　　4　看客

②1おくドルあれば、月へ旅行に行けるらしい。

1　億　　2　臆　　3　憶　　4　徳

③この機械はてつでできている。

1　銀　　2　銅　　3　鉄　　4　鉛

④100ｍを15びょうで走った。

1　秒　　2　秋　　3　税　　4　抄

⑤友達を迎えにくうこうへ行った。

1　空航　　2　港空　　3　航空　　4　空港

3　＿＿の言葉（ことば）を漢字（かんじ）で書（か）くとき、＿＿の漢字（かんじ）が問題文（もんだいぶん）と同（おな）じものを１・２・３の中から一（ひと）つ選（えら）びましょう。

例（れい））ぎんこうは３時（じ）に閉（し）まる。

①父（ちち）とカナダをりょこうした。
2　駅前（えきまえ）のかんこう案内所（あんないじょ）で地図（ちず）をもらった。
3　彼（かれ）は反対（はんたい）のほうこうに歩（ある）いて行（い）った。

①人口（じんこう）の変化（へんか）を、グラフを使（つか）ってせつめいした。
1　彼女（かのじょ）は世界的（せかいてき）にゆうめいな歌手（かしゅ）だ。
2　解答用紙（かいとうようし）にしめいを書（か）いた。
3　受験（じゅけん）のため、高校（こうこう）の成績（せいせき）しょうめいしょを送（おく）ってもらった。

②うるさくて、駅（えき）のほうそうがよく聞（き）こえなかった。
1　メールを書（か）いている途中（とちゅう）で、間違（まちが）ってそうしんしてしまった。
2　新製品（しんせいひん）のかんそうを聞（き）かせてください。
3　私（わたし）はせんそうに反対（はんたい）だ。

③今日（きょう）は工事（こうじ）のため、10時（じ）からだんすいになります。
1　店（みせ）の人（ひと）にスイカのねだんを聞（き）いた。
2　車（くるま）でアメリカ大陸（たいりく）をおうだんした。
3　彼（かれ）はボランティアのだんたいに入（はい）っている。

4　＿＿の部分(ぶぶん)の漢字(かんじ)には読(よ)み方(かた)を、平仮名(ひらがな)には漢字(かんじ)を書(か)きましょう。

Post Card

さつきさん、おとといから山川湖(やまかわこ)に来(き)ています。ここは携帯電話(けいたいでんわ)の a電波が届(とど)かないほどの山(やま)の中(なか)です。夜(よる)は星(ほし)が東京(とうきょう)の b何倍も多(おお)く見(み)えて、c あかるく d ひかっています。近(ちか)くの山(やま)に e 登ると、f 遠くに富士山(ふじさん)も見(み)えます。林(はやし)の中(なか)で犬(いぬ)を g 遊ばせたり、船(ふね)で湖(みずうみ)を h 横断して i むかいの村(むら)に渡(わた)ったりしました。j うつくしい自然(しぜん)の中(なか)で3日間(かかん)ゆっくり過(す)ごしました。

少(すこ)しですが、ぶどうを k おくります。土曜(どよう)の l 昼過ぎに届(とど)くと思(おも)います。じゃ、また会社(かいしゃ)で。

みさ

文京区(ぶんきょうく)

××町(ちょう)×－×

木村(きむら)さつき様(さま)

| a | b | c　　るく | d　　って |
|---|---|---|---|
| e　　る | f　　く | g　　ばせたり | h |
| i　　かい | j　　しい | k　　ります | l　　ぎ |

# 読み方のルール 1 Rules governing readings − 1 读音规则1

漢字は、勉強した読み方と、言葉になったときの読み方が違っていて、とても困ります。例えば、第５回で、「実」の読み方は「ジツ」だと書いてあります。「事実」のときは「ジツ」ですが、「実験」のときは「ジッ」です。

Much difficulty arises from the fact that the readings of *kanji* are sometimes different when they are actually used in words. For example, in Lesson 5, the reading of the *kanji* 実 was given as ジツ. In the word 事実, it is indeed pronounced ジツ, but in the word 実験, it is pronounced ジッ.

**学习过的汉字读法在词汇中会发生变化，这太让人烦恼了。例如，在第5次中学习的汉字「実」的读法是「ジツ」，在「事実」这个词中读「ジツ」，但是在「実験」这个词中读「ジッ」。**

それは、後ろの漢字の読み方と関係があります。

「実（ジツ⃝）」「発（ハツ⃝）」「出（シュツ⃝）」のように、「〜ツ」で終わる漢字の後ろに、「カ行、サ行、タ行、ハ行」で始まる漢字が付くと、「〜ツ」が「〜ッ」に変わるのです。

This is connected with the reading of the following *kanji*.
When *kanji* beginning with カ行, サ行, タ行 or ハ行 come after words that end in 〜ツ, such as 実（ジツ⃝）, 発（ハツ⃝） and 出（シュツ⃝）, the 〜ツ changes into 〜ッ.

**这与后面的汉字读法有关。**
**像「実（ジツ⃝）」「発（ハツ⃝）」「出（シュツ⃝）」这些以「〜ツ」结尾的汉字后面，接以「カ行、サ行、タ行、ハ行」开头的汉字时，「〜ツ」会变成「〜ッ」。**

「実験」は「実（ジツ）＋験（ケン：カ行）」ですから「ツ」が「ッ」になり「ジッケン」となります。「実力（第５回）」は「実（ジツ）＋力（リョク：ラ行）」です。後ろが「カ行、サ行、タ行、ハ行」ではないので、「ツ」はそのままで「ジツリョク」と読みます。また、「事実」は、「実」が後ろにありますから、変わりません。

Hence, 実験 comprises the words 実（ジツ）＋験（ケン：カ行）, so the ツ becomes ッ, and the pronunciation is ジッケン. In Lesson 5, 実力is 実（ジツ）＋力（リョク：ラ行）. But because there is no カ行, サ行, タ行 or ハ行 after it, the ツ is unchanged and the pronunciation is ジツリョク. In the word 事実, there is no change because the 実 comes at the end of the word.

**「実験」这个词是「実（ジツ）＋験（ケン：カ行）」组合而成的，因此「ツ」变成「ッ」，也就是「ジッケン」。「実力（第5次）」这个词是「実（ジツ）＋力（リョク：ラ行）」组合在一起，后面不是「カ行、サ行、タ行、ハ行」，因此「ツ」原样不变，也就是读作「ジツリョク」。另外，「事実」这个词中「実」在后面因此不发生变化。**

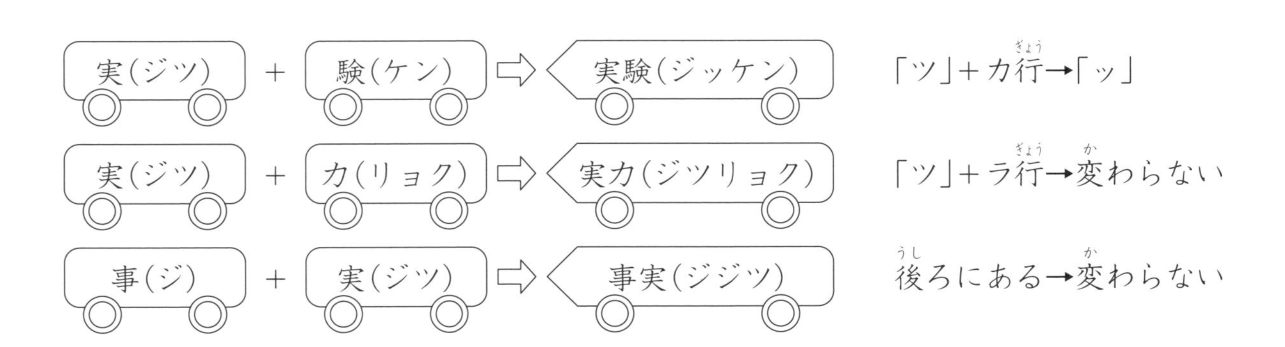


**ポイント１**：「〜ツ」で終わる漢字の後ろに、「カ行、サ行、タ行、ハ行」で始まる漢字が付くと、「〜ツ」が「〜ッ」に変わる。

**Study Point 1**：If you add a *kanji* that begins with カ行, サ行, タ行 or ハ行 after a *kanji* that ends in 〜ツ, the 〜ツ changes into 〜ッ.

**要　点　１**：**以「〜ツ」结尾的汉字后面如果接「カ行、サ行、タ行、ハ行」音开头的汉字时，「〜ツ」变成促音「〜ッ」。**

一緒に「発(ハツ)」の言葉の例で考えてみましょう。aとbと、どちらが正しいですか？
Try answering the questions below regarding two words with beginning 発 (ハツ), choosing a) or b).
**我们以「発(ハツ)」为例，思考一下汉字发音的变化规则。那么，a和b正确答案是哪一个呢？**

「発音」
後ろの「音」が、①(a「カ行、サ行、タ行、ハ行」で始まる　b「カ行、サ行、タ行、ハ行」で始まらない)。
だから、②(a「～ツ」が「～ッ」に変わる　b「～ツ」が「～ッ」に変わらない)。

「発見」
後ろの「見」が、③(a「カ行、サ行、タ行、ハ行」で始まる　b「カ行、サ行、タ行、ハ行」で始まらない)。
だから、④(a「～ツ」が「～ッ」に変わる　b「～ツ」が「～ッ」に変わらない)。

分かりました。「発音」は、後ろが「音(オン)」だから変わりません。「発見」は後ろが「見(ケン)」だから変わります。
もう一つ、質問があります。「表(第6回)」が付く「発表」は、後ろの「表(ヒョウ)」も、「ピョウ」に変わるのはどうしてですか。

I see. In 発音, 発 comes before 音 (オン) and so there is no change. In 発見, it comes before 見 (ケン) and therefore does change.
Another question then arises. The 表 (Lesson 6) of 発表 also changes in the final position, from ヒョウ to ピョウ. Why is this?

**明白了。「発音」这个词因为后面是「音(オン)」所以不发生变化。而「発見」这个词后面是「見(ケン)」所以要发生变化。**
**还有一个问题。「表(第6次)」后附的词「発表」后面的「表(ヒョウ)」为什么也变成了「ピョウ」。**

答え　①b　②b　③a　④a

後ろの漢字が「ハ行」で始まるときは、「パ・ピ・プ・ペ・ポ」に変わります。これは、「～ン」で終わる漢字の後ろに、「ハ行」で始まる漢字が続くときも同じです。

When the final *kanji* begins with a ハ行, the sound changes into パ, ピ, プ, ペ or ポ. The same thing happens when a *kanji* beginning with a ハ行 comes after a *kanji* that ends in ～ン.

**后面的汉字是「ハ行」开头时，要变成「パ・ピ・プ・ペ・ポ」。以拨音「～ン」结尾的汉字后面接「ハ行」音开头的汉字时，也是相同的变音规则。**

**ポイント2**：「～ツ」「～ン」で終わる漢字の後ろに、「ハ行」で始まる漢字が付くと、「ハ行」が「パ行」に変わる。

**Study Point 2**：When a *kanji* beginning with a ハ行 is added after a *kanji* that ends in ～ツ or ～ン, the ハ行 changes into a パ行.

**要　点　2**：**汉字读音以「～ツ」「～ン」结尾时，后接的汉字读音以「ハ行」音开头时，「ハ行」音变成「パ行」。**

一緒に「法（ホウ）（第10回）」の言葉の例で考えてみましょう。aとbと、どちらが正しいですか？

Let's do the same test with 法（ホウ）as featured in Lesson 10, choosing a) or b).

**我们以「法（ホウ）（第10次）」构成的词汇为例思考下发音变化规则。那么，a和b正确答案是哪一个呢？**

「方法」

前の「方」が、⑤（a「ツ」か「ン」で終わる　b「ツ」でも「ン」でも終わらない）。

だから、⑥（a「ホウ」が「ポウ」に変わる　b「ホウ」が「ポウ」に変わらない）。

「文法」

前の「文」が、⑦（a「ツ」か「ン」で終わる　b「ツ」でも「ン」でも終わらない）。

だから、⑧（a「ホウ」が「ポウ」に変わる　b「ホウ」が「ポウ」に変わらない）。

答え　⑤b　⑥b　⑦a　⑧a

分かりました。「方法」は、前が「方（ホウ）」だから変わりません。「文法」は前が「文（ブン）」だから変わります。他にも読み方が変わるときがありますか。

I see. Because the word 方法 contains 方（ホウ）preceding another ホウ, there is no change. But with 文法, the 文（ブン）does require a change in the 法 reading. Are there any other ways in which readings can change?

**明白了。「方法」这个词因为前面是「方（ホウ）」，所以没有变化。「文法」这个词因为前面是「文（ブン）」，所以要发生改变。还有其他发音要发生变化的时候吗？**

はい、あります。しかし、「〜ツ」「〜ン」で終わる漢字が多いので、まずこのルールを知っておくと便利です。

Yes, there are. But because there are a lot of *kanji* ending in 〜ツ and 〜ン, you will find it helpful to master these rules first.

**是的，有。但是多数是以「〜ツ」「〜ン」结尾的汉字，因此首先记住这条规则以后学习就方便多了。**

# 読み方のルール 2 Rules governing readings − 2 读音规则2

駅で友達と会う約束をしたとき、「駅の南口」を「みなみくち」と言ったら、「みなみぐちだよ」と言われました。どうしてですか。

When I agreed to meet somebody at the station, I said みなみくち for 駅の南口, and was told that it's actually pronounced みなみぐち. Why is this?

**在车站与朋友约会时，把「駅の南口」说成了「みなみくち」，对方告诉说应该读「みなみぐち」。这是为什么?**

二つの言葉が続いてできた言葉の場合、後ろの言葉の最初に「゛（濁点）」が付くことがあります。「゛（濁点）」が付くのは、原則として、訓読みの言葉のときです。

例えば、次のような言葉です。

When two words are run together, the voiced sound marker ゛ is sometimes added to the first letter of the second word. This rule usually applies with *kunyomi* words.
For example, look at the following words:

**两个词语连接到一起构成一个词语时，后面词语的首字假名有时会带「゛(浊音符号)」发生浊音变化。加浊音符号原则来说只出现在训读词汇中。例如，下面的词汇。**

このルールを知っていると、次のような言葉も読めますね。

When you know these rules, you can read words such as the following.

**掌握这条规则之后，下面的词汇就能读出来吧。**

①青空　②飲み薬　③日帰りの旅行　④流れ星　⑤赤組

日帰り：Day trip　当日返回

流れ星：Shooting star　流星

答え ①あおぞら ②のみぐすり ③ひがえりのりょこう ④ながれぼし ⑤あかぐみ

# 第4部 音読みと訓読みを覚える漢字

# 第17回 音　新しく音読みを覚える漢字：動詞

New *onyomi* for learned *kanji*: Verbs
掌握已学汉字的新的音读：动词

1　＿＿の部分の読み方を書きましょう。

①ここに自転車をa止めるのは、b禁止です。
（　　める）（　　　　）

②車が来ないa歩道を　b歩きましょう。
（　　　　）（　　きましょう）

③早くa洗面所で手をb洗ってきなさい。
（　　　　　　）（　　　って）

④学校でa習った漢字は、b復習しておいてください。
（　　った）（　　　　）

⑤カラオケで、好きなa歌手の　b歌を　c歌った。
（　　　）（　　）（　　った）

2　正しいものを選びましょう。

①今日、人気の雑誌が発売（aはんばい　bはっぱい　cはつばい）される。

②寝室（aしんしつ　bしうしつ　cしゅうしつ）に、大きなベッドが置いてある。

③看護師になるために、病院で実習（aじっしう　bじっしゅう　cじつしゅう）をした。

④ただ今から、第33回全国大会をかいかい（a開会　b会開　c閉会）いたします。

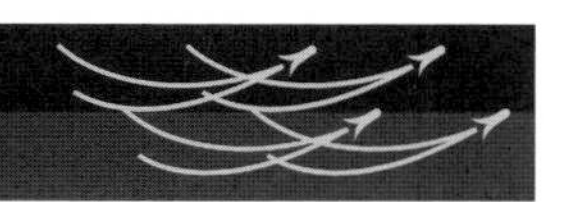

3 ＿＿の二(ふた)つの言葉(ことば)がだいたい同(おな)じ意味(いみ)になるように、□の中の漢字(かんじ)を使(つか)って、言葉(ことば)を完成(かんせい)しましょう。読(よ)み方(かた)も書(か)きましょう。

| ~~読~~　始　集　進 |
|---|

例(れい)）図書館(としょかん)で a本を**読**む。　＝　図書館(としょかん)で b**読**書する。
（ほん を よ む）　　（どくしょ する）

①グラウンドに a＿＿＿まる。　＝　グラウンドに b＿＿＿合する。
（　　まる）　　（　　　する）

②技術(ぎじゅつ)が a＿＿＿む。　＝　技術(ぎじゅつ)が b＿＿＿歩する。
（　　む）　　（　　　する）

③試験(しけん)を a＿＿＿める。　＝　試験(しけん)を b開＿＿＿する。
（　　める）　　（　　　する）

4 □には同(おな)じ漢字(かんじ)が入(はい)ります。□から、漢字(かんじ)を選(えら)んで書(か)きましょう。＿＿の部分(ぶぶん)の読(よ)み方(かた)も書(か)きましょう。

| 考　思　売　帰 |
|---|

①毎朝(まいあさ)、駅(えき)の a□店で新聞(しんぶん)を買(か)う。
この店(みせ)は、地方(ちほう)の珍(めずら)しい物(もの)を b□っている。

②残業(ざんぎょう)しないときは、7時(じ)には a□宅している。
国(くに)に b□ったら、まず友達(ともだち)に会(あ)いたい。

③みんなの意見(いけん)を a参□にして、もう一度(いちど)よく b□えてみよう。

| | | |
|---|---|---|
| ① | a | ＿＿＿店<br>（　　　） |
| | b | ＿＿＿って<br>（　　って） |
| ② | a | ＿＿＿宅<br>（　　　） |
| | b | ＿＿＿ったら<br>（　　ったら） |
| ③ | a | 参＿＿＿<br>（　　　） |
| | b | ＿＿＿えて<br>（　　えて） |

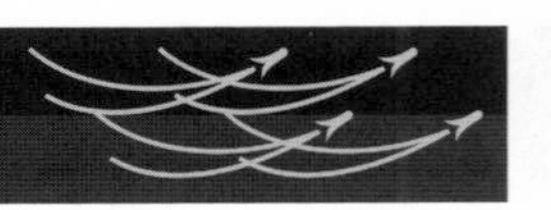

④テレビを見(み)て、世界(せかい)には a不□議な 出来事(できごと)がたくさんあると b□った。

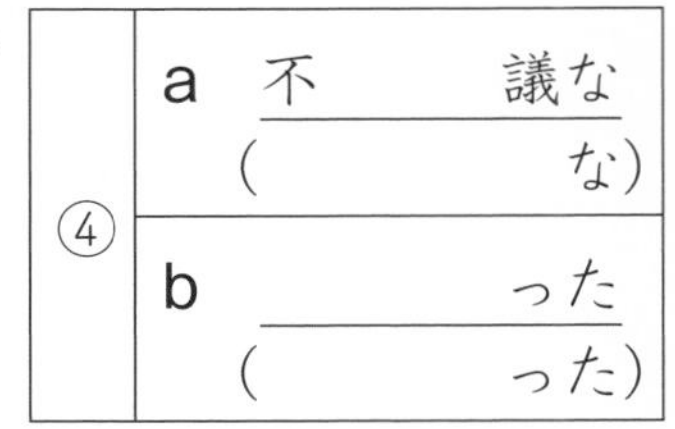

| ④ | |
|---|---|
| | a 不＿＿議な<br>（　　　　な） |
| | b ＿＿った<br>（　　　　った） |

5　＿＿の漢字(かんじ)には読(よ)み方(かた)を、平仮名(ひらがな)には漢字(かんじ)を書(か)きましょう。

①2012年(ねん)、ロンドンでオリンピックが開かれた。

（　　　かれた）

②子供(こども)たちは、うれしそうにプレゼントの箱(はこ)を開けた。

（　　　けた）

③面接(めんせつ)で、aれんしゅうしたとおりに話(はな)せたので、いい結果(けっか)をb期待している。

a（　　　　）　b（　　　　）

**第18回** **音**

# 新しく音読みを覚える漢字：名詞や形容詞

New *onyomi* for learned *kanji*: Nouns and adjectives
掌握已学汉字的新的音读：名词和形容词

1　＿＿の部分の読み方を書きましょう。

①ａ海外に行くとき、飛行機の窓からきれいなｂ海が見えた。
ａ（　　　　）　ｂ（　　　）

②ａ次のページにｂ目次があります。
ａ（　　　）　ｂ（　　　　）

③ａ父母から来た手紙によると、ｂ父もｃ母も元気なようだ。
ａ（　　　）　ｂ（　　　）ｃ（　　　）

④ａ朝早くｂ朝食を食べたので、おなかがすいてしまった。
ａ（　　）ｂ（　　　　）

2　正しいものを選びましょう。

①留学の目的（ａもっくてき　ｂもくてき）の一つは、いろいろな経験をすることだ。
②１番と２番の選手が、ほとんど同時（ａどうじ　ｂどんじ）にゴールした。
③道を渡るとき、左右（ａさゆ　ｂさゆう　ｃさう）をよく見てください。
④日本のしゅと（ａ主都　ｂ首都）は東京だ。
⑤日本は全体の66％がしんりん（ａ新林　ｂ深林　ｃ森林）だ。
⑥ちゅうしょく（ａ中食　ｂ昼食　ｃ注食）はもう済みましたか。

3　□には同じ漢字が入ります。［　］から、漢字を選んで書きましょう。＿＿の部分の読み方も書きましょう。

| 目 | 色 | 低 | 紙 |
|---|---|---|---|

①アルバムのａ表□には、厚いｂ□が使われている。

| | | |
|---|---|---|
| ① | ａ | 表＿＿＿＿（　　　　） |
| | ｂ | ＿＿＿＿（　　　　） |

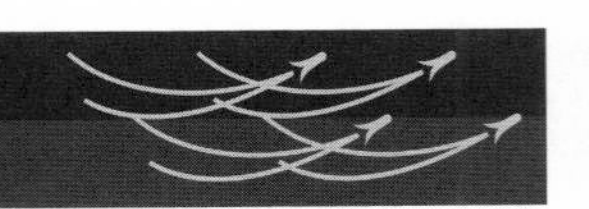

②試験に合格するためには、a最□70点が必要だ。
今朝は気温がb□かったので、川の水が凍っていた。

③お土産は、その地方のa特□が出ていて面白い。
この動物は、周りに合わせて体のb□を変えることができる。

④英語と数学は、私が得意なa科□です。
今、ガスは石油に替わるエネルギーとしてb注□されている。

| | | |
|---|---|---|
| ② | a | 最＿＿＿＿（　　　） |
| | b | ＿＿＿＿かった（　　　かった） |
| ③ | a | 特＿＿＿＿（　　　） |
| | b | ＿＿＿＿（　　　） |
| ④ | a | 科＿＿＿＿（　　　） |
| | b | 注＿＿＿＿（　　　） |

4　＿＿の部分の漢字には読み方を、平仮名には漢字を書きましょう。

①長女はしっかりしているが、次女はのんびりしている。
（　　　）

②ずっと勉強していたら、首が痛くなった。
（　　　）

③「パーティーに参加する人は20人です。」
「a少ないですね。もうb少したくさんの人が参加してくれるといいですね。」
（　　　ない）　（　　　し）

④親切な青年が、私の荷物を持ってくれた。
（　　　）

⑤aもりで、b少年たちがキャンプをしている。
（　　　）（　　　）

⑥でんちを２本買ってきて。
（　　　）

# まとめ問題（6）

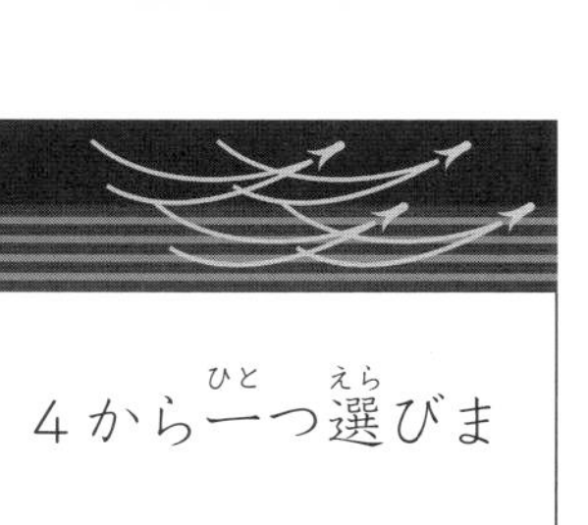

1　＿＿の言葉の読み方として最もよいものを、１・２・３・４から一つ選びましょう。

①田舎から都市に移る人が増えて、都市に人口が<u>集中</u>した。

　１　しゅうちゅう　２　しゅっちゅう　３　しゅうじゅう　４　しゅじゅう

②少しずつだが、問題の解決に向かって<u>前進</u>している。

　１　ぜんしん　２　せんしん　３　ぜんじん　４　せんじん

③山では、急に気温が<u>低下</u>することがあるので、注意しなければならない。

　１　てんが　２　ていが　３　てんげ　４　ていか

④彼が次にどんな映画を作るか、世界中が<u>注目</u>している。

　１　ちゅうぼく　２　ちゅうもく　３　ちゅまぐ　４　ちゅうもぐ

⑤スーパーで卵の<u>特売</u>をしていた。

　１　とっくまい　２　とぐまい　３　とくばい　４　とぐばい

2　＿＿の言葉を漢字で書くとき、最もよいものを、１・２・３・４から一つ選びましょう。

①明日の授業の<u>よしゅう</u>をしておこう。

　１　自習　２　余習　３　用習　４　予習

②花火大会は、雨のときは<u>ちゅうし</u>です。

　１　注止　２　主止　３　中止　４　休止

③田中さんは、<u>かいがい</u>で生活した経験がありますか。

　１　海外　２　界外　３　海上　４　外海

④髪が長い<u>しょうじょ</u>が木の下に立っていた。

　１　小女　２　少女　３　子女　４　生女

⑤キムさん、<u>きこく</u>しても日本のことを忘れないでくださいね。

　１　飛国　２　来国　３　帰国　４　行国

3　□から漢字を選んで、文を完成しましょう。読み方も書きましょう。

| 集　禁　用　歩　開 |
|---|

①雨のために、テニスの試合＿＿＿始が30分遅れた。
（　　　　　　　）

②あしたは遠足です。＿＿＿合時間に遅れないようにしてください。
（　　　　　　　）

③参加を希望する方は、この申し込み＿＿＿紙に書いてください。
（　し　み　　　）

④道を渡るときは、横断＿＿＿道を渡りましょう。
（　　　　　　　）

⑤この薬は、副作用があることが分かって、使用＿＿＿止になりました。
（　　　　　　　）

4　例のように、同じ音読みの漢字を集めましょう。（　　）に音読みも書きましょう。使わない字もあります。

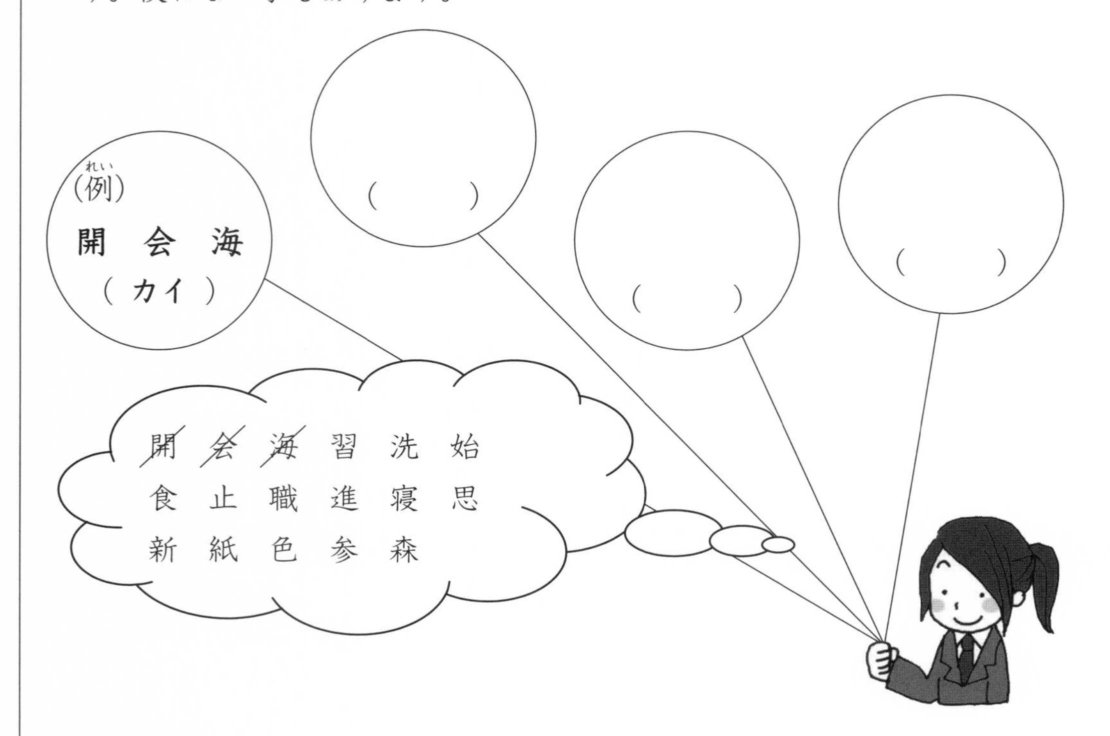

## 第19回 音訓 音読みと訓読みを覚える新しい漢字：動詞

New *kanji* with *onyomi* and *kunyomi*: Verbs
掌握新学汉字的音读和训读：动词

1　＿＿の部分の読み方を書きましょう。

①小麦粉と水の a量を正確に b量ってください。

（　　　）（　　　って）

②まだ仕事が a残っているから、b残業しなければならない。

（　　　って）（　　　）

③日本の a習慣には b慣れましたが、まだときどき分からないことがあります。

（　　　）（　　　れました）

2　＿＿の二つの言葉がだいたい同じ意味になるように、□の中の漢字を使って、言葉を完成しましょう。読み方も書きましょう。

| 防 | 移 | 調 | 変 |
|---|---|---|---|

①隣の教室に a＿＿る。＝ 隣の教室に b＿＿動する。

（　　　る）（　　　する）

②商品の値段を a＿＿べる。＝ 商品の値段を b＿＿査する。

（　　　べる）（　　　する）

③町の様子が a＿＿わる。＝ 町の様子が b＿＿化する。

（　　　わる）（　　　する）

④犯罪を a＿＿ぐ。＝ 犯罪を b＿＿止する。

（　　　ぐ）（　　　する）

3　正しいものを選びましょう。

①手続きには、預金（aよきん　bようきん）の通帳のコピーが必要です。

②寒くて、体が震えます（aくるえます　bふるえます）。

③昨日の地震（aじちん　bじしん　cちしん）は、ちょっと大きかったですね。

④引っ越しで、大量（aたいりょ　bだいりょう　cたいりょう）のごみが出た。

⑤一生懸命勉強したおかげで、試験にうかった（a受かった　b覚かった　c妥かった）。

4 漢字の部分を入れて、漢字を完成しましょう。読み方も書きましょう。

例）昨日、国の友達と[電]話で話した。
（でんわ）

①去年は赤だったが、今年は白が[氵]行の色だそうだ。
（　　　　）

②この庭には、珍しい[木]物がたくさんある。
（　　　　）

③市長が午後、この病院を[言]問することになっている。
（　　　　）

④弟はみどり大学を[⺍]験して、合格した。
（　　　　）

5 □には同じ漢字が入ります。[　]から、漢字を選んで書きましょう。＿＿の部分の読み方も書きましょう。

| 違　配　育　曲 |
|---|

①試験問題を ${}_{a}$□りますから、名前を書いてください。
昼間は留守なので、書留の ${}_{b}$□達は夜にお願いします。

②地震で柱が ${}_{a}$□がってしまった。
この美しい ${}_{b}$□は、誰が ${}_{c}$作□したのですか。

③私の考えは、あなたのとはちょっと ${}_{a}$□います。
スピード ${}_{b}$□反で、警察に捕まった。

| | | |
|---|---|---|
| ① | a | ＿＿ります<br>（　　ります） |
| | b | ＿＿達<br>（　　　） |
| ② | a | ＿＿がって<br>（　　がって） |
| | b | ＿＿<br>（　　　） |
| | c | 作＿＿<br>（　　　） |
| ③ | a | ＿＿います<br>（　　います） |
| | b | ＿＿反<br>（　　　） |

④父が早く死んだので、私は母にa□てられた。
雨だったので、b体□館で運動した。

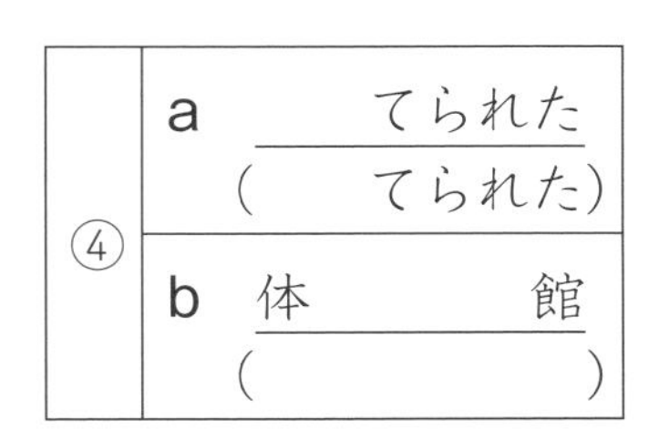

| ④ | a　　　　てられた<br>（　　　てられた） |
|---|---|
| | b 体　　　　館<br>（　　　　　　） |

6　＿＿の部分の漢字には読み方を、平仮名には漢字を書きましょう。

①会場の受付で、名前を書いてください。

（　　　　　）

②学生時代の先生の家を訪ねた。

（　　　ねた）

③雨が降ったので、今日は川の水がとても速く流れている。

（　　　れて）

④飛行機に乗る前に、荷物を預けた。

（　　　けた）

⑤いろいろな種類のちょうみりょうをそろえた。

（　　　　　　　）

⑥庭にうえた木に、毎日小鳥がやって来る。

（　　　えた）

1 ＿＿の部分の読み方を書きましょう。

①体が a熱い。 b熱があるかもしれない。

( い)( )

②本当に a確実な情報かどうか b確かめます。

( な) ( かめます)

③日本で作られた漢字には、a例えばどんな b例がありますか。

( えば) ( )

2 正しいものを選びましょう。

①日本語はまだ初級（aしょうきゅう bしょきゅ cしょきゅう）のレベルです。

②夏休みに深夜（aしんや bしんよる）のアルバイトをした。

③毎晩遅くまで熱心（aねっしん bねしん cねつしん）に漢字の勉強をしている。

④漢字の読み方を正確（aしょうかく bせいかく cせいがく）に覚えましょう。

⑤店は、駅の南口を出て歩道橋（aほうどきょう bほどうきょ cほどうきょう）を渡ったところにある。

⑥地域の住民のようきゅう（a要急 b要求 c用求）をまとめて、県に提出した。

⑦この規則にれいがい（a例外 b列外 c冽外）はありません。

3 ＿＿の二つの言葉がだいたい同じ意味になるように、□の中の漢字を使って、言葉を完成しましょう。読み方も書きましょう。

| 初 | 要 | 必 | 痛 |
|---|---|---|---|

①誰でも a＿＿めは緊張する。 ＝ 誰でも b最＿＿は緊張する。

( め) ( )

②朝から a頭が＿＿い。 ＝ 朝から b頭＿＿がする。

( が い) ( がする)

③海外旅行はパスポートが a＿＿ず＿＿る。

( ず る)

＝ 海外旅行はパスポートが b＿＿だ。

( だ)

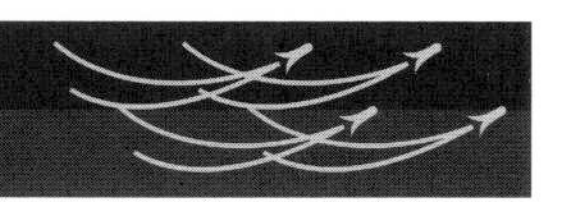

4　漢字の部分を入れて、漢字を完成しましょう。読み方も書きましょう。

①この魚屋さんでは、いろいろな［禾　］類の魚を売っている。

（　　　　）

②この海は、急に［氵　］くなって危険ですから、泳いではいけません。

（　　　く）

③昔は、この川を渡るのが大変だったので、［木　］ができてみんな喜んだ。

（　　　）

5　＿＿の部分の漢字には読み方を、平仮名には漢字を書きましょう。

①薬を飲んだら、やっと平熱に下がった。

（　　　　）

②ご注文の品は、明日確かにお届けします。

（　　　かに）

③花の種を買った。

（　　　）

④この漢字は正しいですか。

（　　　しい）

⑤はじめて日本語で会話ができたときは、うれしかった。

（　　　めて）

# まとめ問題（7）

1　＿＿＿の言葉の読み方として最もよいものを、1・2・3・4から一つ選びましょう。

①平仮名は曲線が多い文字だ。

1　きょっくせん　　2　きょくせん　　3　きょくぜん　　4　きょぐせん

②地味な色の服もよくお似合いですよ。

1　ぎみ　　2　ちみ　　3　しみ　　4　じみ

③用事があったので、子供を隣の人に預かってもらった。

1　かずあって　　2　あずかって　　3　さずかって　　4　かずさって

④次の体育の時間は、テニスをします。

1　たいいく　　2　ていいく　　3　たいく　　4　ていく

⑤会社に仕事を減らしてくれるように要求した。

1　ようきゅ　　2　よきゅう　　3　ようきゅう　　4　よちゅう

2　＿＿＿の言葉を漢字で書くとき、最もよいものを、1・2・3・4から一つ選びましょう。

①ぼんやりしていて、降りる駅をまちがえてしまった。

1　間遠えて　　2　問違えて　　3　間違えて　　4　問遠えて

②頑張ったのに、優勝できなくてざんねんです。

1　残念　　2　浅念　　3　浅感　　4　残感

③この町のしょくぶつ園では、珍しい花が見られる。

1　植物　　2　直物　　3　食物　　4　殖物

④留学生のこうりゅうパーティーに参加した。

1　行疏　　2　交留　　3　行流　　4　交流

⑤この机を隣の教室へうつしてください。

1　写して　　2　移して　　3　動して　　4　運して

3　□から漢字を選んで、文を完成しましょう。読み方も書きましょう。

| 量 | 要 | 変 | 慣 |
|---|---|---|---|

①来週までに、必＿＿＿書類を用意しなければならない。

（　　　　　　　）

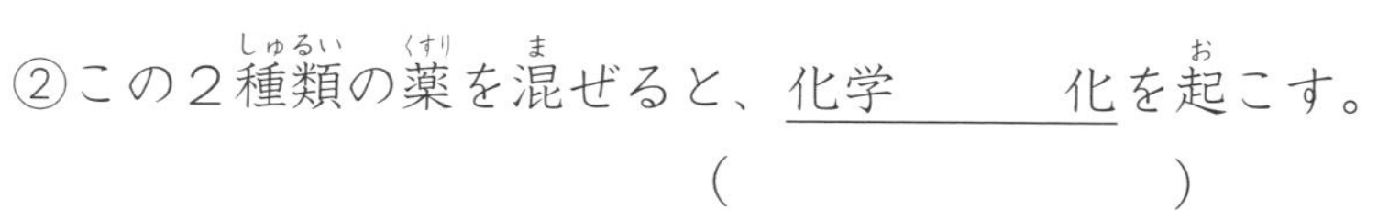

②この２種類(しゅるい)の薬(くすり)を混(ま)ぜると、化学＿＿化を起(お)こす。

(　　　　　　　　)

③病気(びょうき)の予防(よぼう)には、正しい生活習＿＿も大事(だいじ)だ。

(　　　　　　　　)

④この工場(こうじょう)は、新(あたら)しい機械(きかい)を入(い)れたので、大＿＿生産が可能(かのう)になった。

(　　　　　　　　)

4　＿＿の漢字(かんじ)の読(よ)み方(かた)を書(か)きましょう。

①ａ受験の案内(あんない)をｂ受け取った。

(　　　　)　(　　け　　った)

②ａ流行にｂ流されてはいけない。

(　　　　)(　　されて)

③ａ正しい情報(じょうほう)かどうか、ｂ正確には分(わ)からなかった。

(　　しい)　　　(　　　　に)

5　同(おな)じ音読(おんよ)みの漢字(かんじ)を集(あつ)めましょう。(　　)に音読(おんよ)みも書(か)きましょう。使(つか)わない字(じ)もあります。

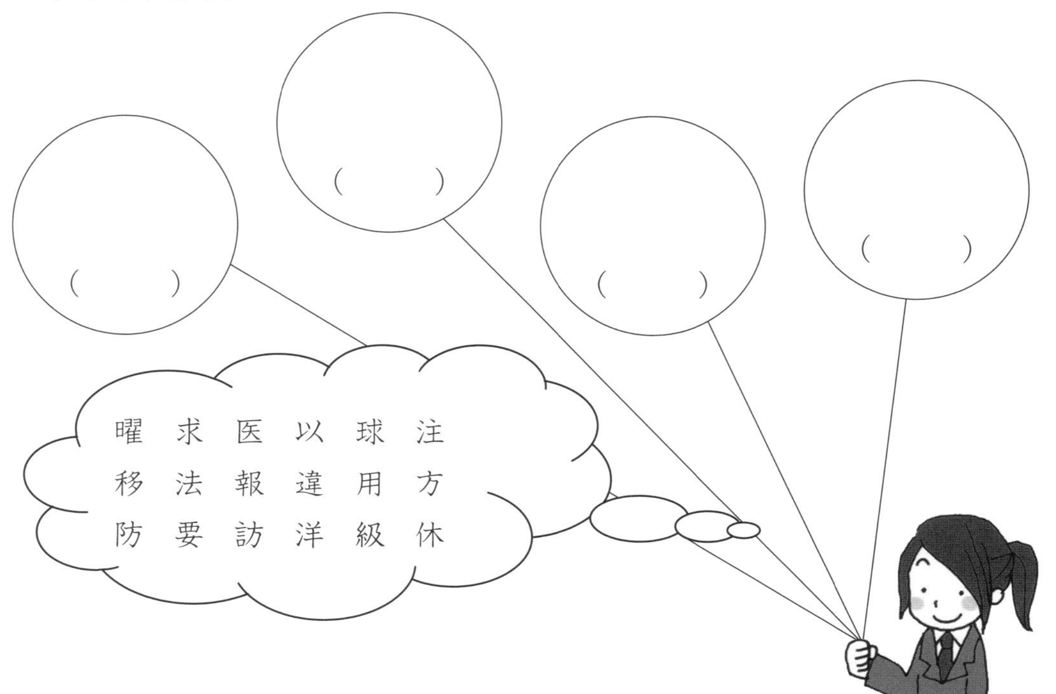

# 第5部 たくさんの読み方がある漢字

# 二つ以上の訓読みを覚える漢字

*Kanji* with two *kunyomi* or more
掌握有超过两种训读的汉字

1　絵を見て、読み方を書きましょう。

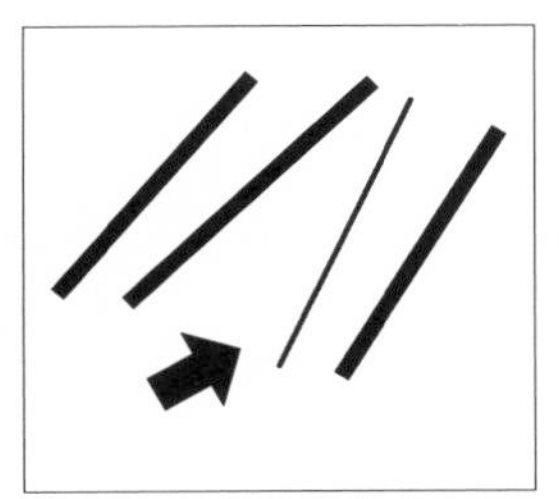

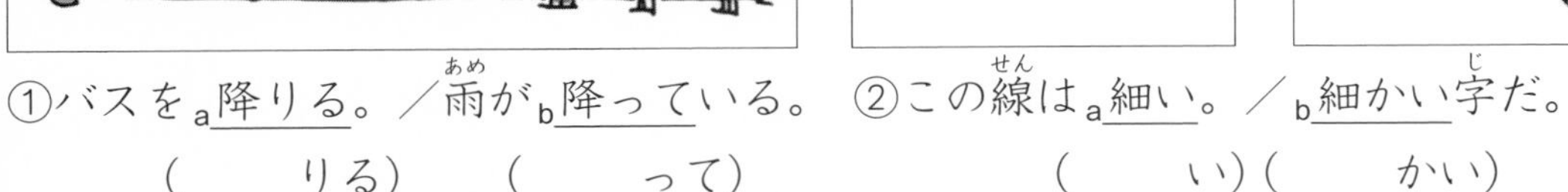

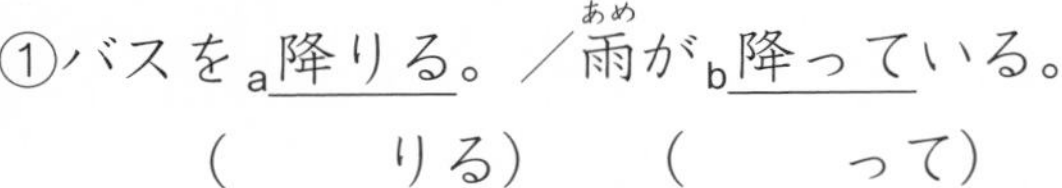

①バスを$_a$降りる。／雨が$_b$降っている。　②この線は$_a$細い。／$_b$細かい字だ。

(　　りる)　(　　って)　　(　　い)(　　かい)

③$_a$彼と　$_b$彼女は友達だ。　④お茶を$_a$冷ます。／ビールを$_b$冷やす。

(　　)(　　)　　(　　ます)　(　　やす)

2　正しいものを選びましょう。

①プレゼントは細長い(aほそながい　bこまながい)箱に入っていた。

②父は目を閉じて(aとじて　bしめじて)考えていた。

③込んでいますね。あいて(a開いて　b空いて)いる席はあるでしょうか。

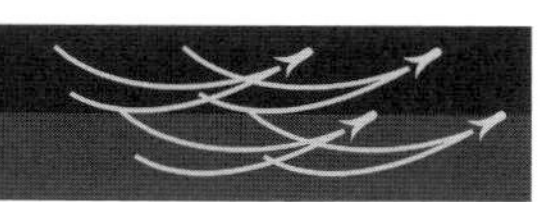

3　漢字の部分を入れて、漢字を完成しましょう。読み方も書きましょう。

①もう夜［犀］いですから、車で送りましょうか。

（　　　　い）

②掃除をしていないので、部屋が［氵］い。

（　　　　い）

③打ったボールは、彼女の方に［車］がっていった。

（　　　　がって）

④風が強いから、窓を［門］めてください。

（　　　　めて）

4　＿＿の部分の漢字の読み方を書きましょう。

①a今夜頑張れば、仕事は明日のb夜中には終わるでしょう。

（　　　　）　（　　　　）

②気温がa上がったので、b上着を脱いだ。／次のc上りの電車は何時ですか。

（　　　　がった）（　　　　）　（　　　　り）

③きれいな鳥が、a空を飛んでいる。／箱の中はb空だった。

（　　　　）　（　　　　）

④私はa高校生になるまで、b生の魚が食べられなかった。c生きている魚を思い出すからだ。

（　　　　）（　　　　）（　　　　きて）

⑤a割引で買ったお皿がb割れてしまった。

（　　　　）　（　　　　れて）

⑥怖い夢だった。目がa覚めても、はっきりb覚えている。

（　　　　めても）　（　　　　えて）

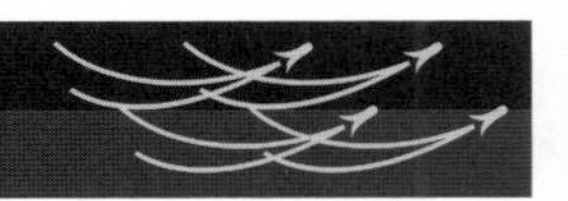

5 □には同じ漢字が入ります。[  ]から、漢字を選んで書きましょう。___の部分の読み方も書きましょう。

| 転 | 遅 | 汚 | 生 | 冷 |
|---|---|---|---|---|

①去年 a□まれた赤ちゃんに、歯が b□えてきた。

②外で遊んで帰ってきた子供の手と足は、a□れて b□くなっていた。

③この料理は a□たいほうがおいしいので、よく b□やしてください。

④a自□車に乗っていて、b□んでしまった。

⑤A：「約束の時間を30分過ぎていますよ。山下さん、a□いですね。」
　B：「事故で電車が b□れているらしいですよ。」

| | | |
|---|---|---|
| ① | a | ___まれた<br>（　　まれた） |
| | b | ___えて<br>（　　えて） |
| ② | a | ___れて<br>（　　れて） |
| | b | ___く<br>（　　く） |
| ③ | a | ___たい<br>（　　たい） |
| | b | ___やして<br>（　　やして） |
| ④ | a | 自___車<br>（　　　） |
| | b | ___んで<br>（　　んで） |
| ⑤ | a | ___い<br>（　　い） |
| | b | ___れて<br>（　　れて） |

# Memo

# 二つめの音読みを覚える漢字 Learning a second *onyomi* for the same *kanji* 掌握已学汉字的第二种音读

1　＿＿の漢字の読み方が同じものを線で結びましょう。読み方も書きましょう。

例）a 5月 ・　　・b 来月
（ごがつ）　（らいげつ）
c 月曜日 ・　　・d 正月
（げつようび）　（しょうがつ）

①a 郵便局 ・　　・b 宅配便
（　　　）　（　　　）
c 便利 ・　　・d 不便
（　　　）　（　　　）

②a 工場 ・　　・b 工夫
（　　　）　（　　　）
c 大工 ・　　・d 工業
（　　　）　（　　　）

③a 日曜日 ・　　・b 平日
（　　　）　（　　　）
c 先日 ・　　・d 日時
（　　　）　（　　　）

2　正しいものを選びましょう。

①本日（aほんにち　bほんじつ）はお忙しい中、お集まりくださいまして、ありがとうございます。

②過去（aかきょ　bかっきょ　cかこ）の嫌な思い出は、話したくない。

③この薬は、眠くなるという副作用（aふくさくよう　bふくさよう　cふくさっよう）がある。

④次男（aじだん　bじなん）は野菜が嫌いだ。

⑤日本語には、文字（aもじ　bぶんじ）が３種類ある。

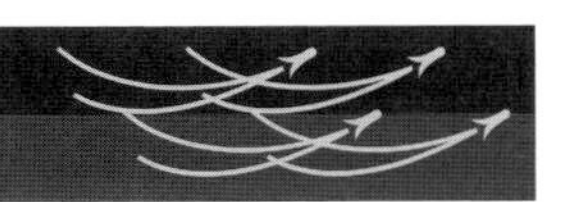

3　□には同じ漢字が入ります。[　　]から、漢字を選んで書きましょう。＿＿の部分の読み方も書きましょう。

| 文 | 間 | 自 | 物 |
|---|---|---|---|

①他の人の考えを気にしないで、a□分で考えることが大切だ。
きれいな川と山を残すために、b□然を守る運動をしている。

②a見□に行くときは、b荷□が少ないほうがいいですよ。

③a人□が動物と違うのは、火を使うということだ。
工事のb期□は、10月15日から２週間です。

④a□化が違っても、人は分かり合えると思う。
この店は、b注□を受けてから３分以内に料理を出す。

| | | |
|---|---|---|
| ① | a ＿＿＿分<br>(　　　) | b ＿＿＿然<br>(　　　) |
| ② | a 見＿＿＿<br>(　　　) | b 荷＿＿＿<br>(　　　) |
| ③ | a 人＿＿＿<br>(　　　) | b 期＿＿＿<br>(　　　) |
| ④ | a ＿＿＿化<br>(　　　) | b 注＿＿＿<br>(　　　) |

4　＿＿の部分の漢字には読み方を、平仮名には漢字を書きましょう。

①今の仕事は、決してa楽ではないが、好きな仕事なので、とてもb楽しい。
(　　　)　(　　しい)

②このa作品を作るのには、非常に細かいb作業が必要だっただろう。
(　　　)　(　　　)

③aきゅうじつは、bひあたりのいい部屋で好きな本を読む。
(　　　)(　　たり)

## 第23回 音 二つの音読みを覚える新しい漢字

Learning new *kanji* with two *onyomi*

掌握有两种音读的新汉字

1 ＿＿の部分の読み方を書きましょう。

①テストの点が59点以下だった人は、a再来週、 b再試験を受けてください。

( )( )

②お医者さんを選ぶときは、近所のa評判を聞いたり、インターネットで調べたり

( )

してから、b判断するようにしている。

( )

③20時のパリa経由ロンドン行きの飛行機に乗ります。それまで、b自由に町を

( ) ( )

観光してください。

2 正しいものを選びましょう。

①会議で決定(aけつてい bけってい)したことを、お知らせします。

②線は、定規(aじょうぎ bていぎ cじょうき)を使って、きれいに引いてください。

③定期券(aじょうきけん bていきけん cてえきけん)を買うときに、証明書が要りますか。

④あなたが反対するりゆう(a理曲 b理田 c理由)を言ってください。

3 漢字の部分を入れて、漢字を完成しましょう。読み方も書きましょう。

①あの店は、水曜日が[宀]休日だから、今日はやっていないはずだ。

( )

②このマンションは、動物を飼ってはいけない規[貝]になっている。

( )

③新しい製品の[言]判は大変よくて、よく売れています。

( )

4　＿＿の部分の平仮名に漢字を書きましょう。

①新しいかばんを、ていかの70%で買った。

(　　　　　　)

②映画のけんが2枚あります。

(　　　)

③瓶をさいりようすることで、ごみが減らせます。

(　　　　　　　　)

## 第24回 音訓 三つ以上の読み方を覚える漢字（1）
*Kanji* with three readings or more (1)
掌握有超过三种读法的汉字(1)

1　絵を見て、読み方を書きましょう。

①ₐ重い本を
（　　　い）
ᵦ重ねる。
（　　　ねる）

②ₐ女の子の
（　　　の　　）
ᵦ様子が変だ。
（　　　　）

③ₐ行事が
（　　　　）
ᵦ行われる。
（　　　われる）

④このₐ土地は
（　　　　）
ᵦ土がいい。
（　　）

2　＿＿の二つの言葉がだいたい同じ意味になるように、□の中の漢字を使って、言葉を完成しましょう。読み方も書きましょう。

| 伝　後　度　重 |
|---|

①今日は休むとₐ＿＿＿えてください。 ＝ 今日は休むとᵦ＿＿＿言してください。
（　　　えて）　　　　（　　　して）

②彼はₐ何＿＿＿も電話してきた。 ＝ 彼はᵦ＿＿＿々電話してきた。
（　　　も）　　　　（　　　）

③来週のₐ真ん中より＿＿＿は晴れるでしょう。
（　ん　より　　）
＝ 来週のᵦ＿＿＿半は晴れるでしょう。
（　　　）

④ここでₐ体の＿＿＿さを量ります。 ＝ ここでᵦ体＿＿＿を量ります。
（　　の　　さ）　　　　（　　　）

3　正しいものを選びましょう。

①今日の天気は、晴れ後（aご　bあと　cのち）曇りです。

②学生のとき、この辺りに下宿（aげっしゅく　bげしゅく　cけじゅく）していた。

③そろそろ出かける支度（aしたく　bしど　cしたび）をしなければなりません。

④おかし（aお果子　bお菓子　cお楽子）を作るのが趣味だ。

⑤けがをして血が止まらないので、外科（aげか　bがか　cがいか）に行った。

4　＿＿の部分の読み方を書きましょう。

①駅の階段をa下りると、ちょうどb下りの電車が来るところだった。「線の内側に

（　　　りる）　　（　　　り）

c下がってください」という駅員さんの声が聞こえた。

（　　　がって）

②何をa言うか、どんなb言葉を使うかよく考えてからc発言する。

（　　　う）　（　　　　）　　　　（　　　　）

③a下の子のおなかのb調子が悪い。c様子を見て、あした医者に連れて行こう。

（　　　の　　　）（　　　　）（　　　　）

④駅へa行ったら、交通機関を利用する人のb行動について、調査をc行っていた。

（　　　ったら）　　　　（　　　　）　　（　　　って）

⑤a外出する前に天気予報を調べたのに、予報がb外れて大雪になった。

（　　　　）　　　　　　　（　　　れて）

5　＿＿の部分の平仮名に漢字を書きましょう。

①おきゃくさまがいらっしゃいました。

（お　　　　　）

②じゅうような問題について話し合う。

（　　　　　な）

③体育の授業は、aだんしと　bじょしに分かれて行います。

（　　　　）（　　　　）

# 第25回 音訓 三つ以上の読み方を覚える漢字（2）

*Kanji* with three readings or more (2)
掌握有超过三种读法的汉字(2)

1　＿＿の部分の読み方を書きましょう。

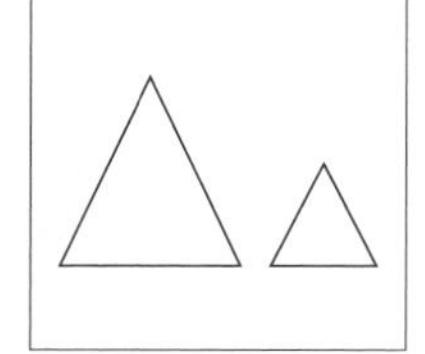

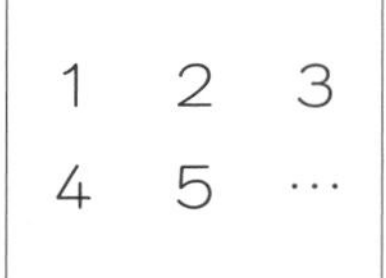

①a人形　魚のb形の雲　c三角形　②a数字　b数をc数える。
（　　　）（　　　）（　　　）（　　　）（　　）（　　える）

2　＿＿の部分の読み方を書きましょう。

①胸がa苦しい。／b苦い薬を飲む。／c苦労をする。
（　　しい）（　　い）（　　　）

②a消火器で火をb消す。／火がc消えた。
（　　　）（　　す）（　　えた）

③欲しいものをa指でb指す。／仕事のc指示をする。
（　　）（　　す）（　　　）

④鍵をa無くす。／b無事だと聞いて安心した。／この電話はc無料で使える。
（　　くす）（　　　）（　　　）

3　正しいものを選びましょう。

①首相（aしゅうそう　bしゅしょう）は、ヨーロッパの国々を訪問した。
②来年の春の完成を目指して（aめさして　bめざして）、橋の建設を急いでいる。
③大事な手紙なので、書留（aかきどめ　bかきとめ　cかきどまり）で送った。
④私はすうがく（a数学　b教学　c類学）が得意です。

4　漢字の部分を入れて、漢字を完成しましょう。読み方も書きましょう。

①彼は約束を必ず［宀］る。
（　　　る）

②電話で話していた［木］手は、誰ですか。
（　　　）

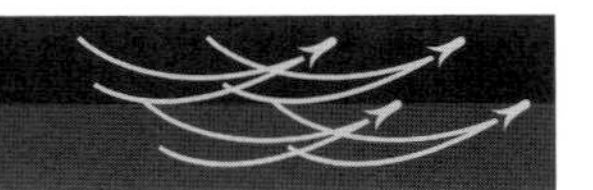

③水（みず）をかけても、火（ひ）はなかなか［氵］えなかった。
（　　　　えなかった）

④弟（おとうと）は、高（たか）い熱（ねつ）が出（で）て、［艹］しそうだった。
（　　　　しそう）

5　□には同（おな）じ漢字（かんじ）が入（はい）ります。［　　］から漢字（かんじ）を選（えら）んで書（か）きましょう。＿＿の部分（ぶぶん）の読（よ）み方（かた）も書（か）きましょう。

| 数 | 神 | 留 | 相 |
|---|---|---|---|

①進学（しんがく）について、先生（せんせい）に$_a$□談した。
結婚（けっこん）する$_b$□手を両親（りょうしん）に紹介（しょうかい）した。
新（あたら）しい$_c$首□は、大臣（だいじん）の中（なか）でいちばん若（わか）い。

②お正月（しょうがつ）は、$_a$□社に行（い）って、いい年（とし）になるようにと$_b$□様にお願（ねが）いする。
痛（いた）いと感（かん）じるのは、$_c$□経があるからだ。

③英語（えいご）の勉強（べんきょう）のために、オーストラリアに$_a$□学した。
両親（りょうしん）が旅行（りょこう）に出（で）かけたので、$_b$□守番をしている。
お金（かね）を郵便（ゆうびん）で送（おく）るときは、$_c$書□で送（おく）ってください。

④英語（えいご）で１から１０まで$_a$□える。
先週（せんしゅう）の試験（しけん）の$_b$点□が発表（はっぴょう）された。
コップが足（た）りません。$_c$□をよく確（たし）かめてください。

| | | |
|---|---|---|
| ① | a | ＿＿談<br>（　　） |
| | b | ＿＿手<br>（　　） |
| | c | 首＿＿<br>（　　） |
| ② | a | ＿＿社<br>（　　） |
| | b | ＿＿様<br>（　　） |
| | c | ＿＿経<br>（　　） |
| ③ | a | ＿＿学<br>（　　） |
| | b | ＿＿守番<br>（　　） |
| | c | 書＿＿<br>（　　） |
| ④ | a | ＿＿える<br>（　　える） |
| | b | 点＿＿<br>（　　） |
| | c | ＿＿<br>（　　） |

# 実力（じつりょく）テスト

# 実力テスト1

問題1 ＿＿のことばの読み方として最もよいものを、１・２・３・４から一つえらびなさい。

1 父の手術は、無事に終わった。

1 しゅじゅつ　2 しじゅつ　3 しゅうずつ　4 しゅずつ

2 病気の予防には、規則正しい生活が大切だ。

1 ようほ　2 よほう　3 ようぼう　4 よぼう

3 震度が５だと、棚から物が落ちることもある。

1 じんど　2 しんど　3 しんどう　4 しんとう

4 友達に映画の感想を聞かれた。

1 かんぞ　2 かんしょう　3 かんじょう　4 かんそう

5 布団を押し入れにしまってください。

1 おしいれ　2 こしいれ　3 おしはいれ　4 こしはいれ

6 ドアがバタンと閉まる音がした。

1 とじまる　2 しめまる　3 しまる　4 こじまる

7 ケーキを作るときは、砂糖を正確に量ってください。

1 しょがくに　2 せいがくに　3 しょうかくに　4 せいかくに

8 よし子さんは、笑顔がすてきですね。

1 いがお　2 わらかお　3 にこがお　4 えがお

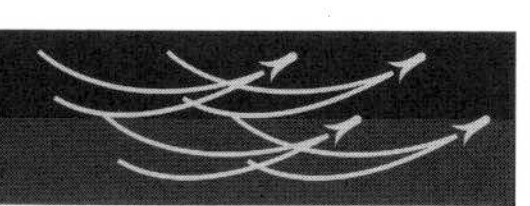

問題２　＿＿のことばを漢字で書くとき、最もよいものを、１・２・３・４から一つえらびなさい。

1　その村(むら)には<u>しょうてん</u>が一(ひと)つあるだけだった。

1　商店　2　帝店　3　商点　4　帝点

2　米(こめ)を<u>しょうひ</u>する量(りょう)は、毎年(まいとし)減(へ)っている。

1　肖貨　2　消費　3　消資　4　肖費

3　たくさん<u>たんご</u>を知(し)っていれば、いろいろなことが話(はな)せる。

1　巣語　2　巣詩　3　単語　4　単詩

4　明日(あす)<u>たたかう</u>相手(あいて)は、とても強(つよ)いチームだ。

1　戒う　2　戦う　3　敵う　4　争う

5　夏(なつ)は、<u>くさ</u>が伸(の)びるのが速(はや)い。

1　芽　2　芋　3　草　4　苗

6　小学生(しょうがくせい)は、<u>きいろい</u>帽子(ぼうし)をかぶっていた。

1　華色い　2　横色い　3　昔色い　4　黄色い

# 実力(じつりょく)テスト２

問題１ ＿＿のことばの読み方として最もよいものを、１・２・３・４から一つえらびなさい。

1 この携帯電話(けいたいでんわ)は、山(やま)の上(うえ)でも電波(でんぱ)が<u>受信</u>できますか。

１ しゅじん　２ じゅしん　３ じゅうじん　４ しゅうじん

2 この食品(しょくひん)は<u>保存</u>ができない。

１ ほぞん　２ ほうぞん　３ ほそん　４ ほうそん

3 出発(しゅっぱつ)の<u>当日</u>は、空港(くうこう)にみんなが見送(みおく)りに来(き)てくれた。

１ とうにち　２ とうじつ　３ とっじつ　４ とんにち

4 出張(しゅっちょう)と<u>重なって</u>、子供(こども)の運動会(うんどうかい)を見(み)に行(い)けなかった。

１ うなって　２ おもなって　３ かなって　４ かさなって

5 みんなで食(た)べたので、お菓子(かし)の袋(ふくろ)はすぐ<u>空</u>になった。

１ から　２ そら　３ あき　４ くう

6 この料理(りょうり)は、<u>冷める</u>とおいしくない。

１ やめる　２ つめためる　３ さめる　４ ひえめる

7 子供(こども)は、<u>虫歯</u>が痛(いた)いと言(い)って、朝(あさ)から泣(な)いている。

１ むしは　２ むしば　３ ぶしは　４ ぶしば

8 寒(さむ)さで、女(おんな)の子(こ)は顔(かお)が<u>真っ青</u>だった。

１ まあっかお　２ まっあお　３ まあっあお　４ まっさお

問題２　＿＿のことばを漢字で書くとき、最もよいものを、１・２・３・４から一つえらびなさい。

1　この工場（こうじょう）では、船（ふね）をせいぞうしている。

1　制造　　2　製造　　3　制追　　4　製追

2　このバスのていいんは60名（めい）です。

1　停員　　2　停人　　3　定員　　4　定人

3　本（ほん）のもくじをよく見（み）て、どこから読（よ）むか考（かんが）える。

1　目辞　　2　目字　　3　目録　　4　目次

4　あの人（ひと）は、何（なに）を考（かんが）えているか分（わ）からないので、つきあいにくい。

1　着き合いにくい　　2　付き合いにくい

3　着き会いにくい　　4　付き会いにくい

5　新（あたら）しいアパートは狭（せま）いですが、ひあたりはとてもいいです。

1　火向たり　　2　日向たり　　3　火当たり　　4　日当たり

6　植物（しょくぶつ）のねには、土（つち）から水（みず）や栄養（えいよう）を取（と）るという重要（じゅうよう）な役目（やくめ）があります。

1　根　　2　恨　　3　株　　4　葉

# 索引

著者
石井怜子
青柳方子
鈴木英子　　　　国際善隣学院
髙木（小谷野）美穂
森田亮子　　　　IKOMA Language School
山崎洋子　　　　学校法人長沼スクール東京日本語学校

執筆協力者
王亜茹　大野純子　木村典子　斎藤明子　塩田安佐　田川麻央　守屋和美　米原貴子

翻訳
Ian Channing（英語）
鄭文全（中国語）

装幀・本文デザイン
糟谷一穂

イラスト
山本和香

新完全マスター漢字　日本語能力試験Ｎ３

2014年6月20日　初版第1刷発行
2020年3月13日　第 7 刷 発 行

著　者　石井怜子　青柳方子　鈴木英子　髙木美穂　森田亮子
　　　　山崎洋子
発行者　藤嵜政子
発　行　株式会社スリーエーネットワーク
　　　　〒102-0083　東京都千代田区麹町3丁目4番
　　　　　　　　　　トラスティ麹町ビル2Ｆ
　　　　電話　営業　03（5275）2722
　　　　　　　編集　03（5275）2725
　　　　https://www.3anet.co.jp/
印　刷　倉敷印刷株式会社

ISBN978-4-88319-688-3　C0081
落丁・乱丁本はお取替えいたします。
本書の全部または一部を無断で複写複製（コピー）することは著作権法上での例外を除き、禁じられています。

## ■ 新完全マスターシリーズ

### ●新完全マスター漢字
日本語能力試験N1
1,200円+税　〔ISBN978-4-88319-546-6〕
日本語能力試験N2（CD付）
1,400円+税　〔ISBN978-4-88319-547-3〕
日本語能力試験N3
1,200円+税　〔ISBN978-4-88319-688-3〕
日本語能力試験N3 ベトナム語版
1,200円+税　〔ISBN978-4-88319-711-8〕
日本語能力試験N4
1,200円+税　〔ISBN978-4-88319-780-4〕

### ●新完全マスター語彙
日本語能力試験N1
1,200円+税　〔ISBN978-4-88319-573-2〕
日本語能力試験N2
1,200円+税　〔ISBN978-4-88319-574-9〕
日本語能力試験N3
1,200円+税　〔ISBN978-4-88319-743-9〕
日本語能力試験N3 ベトナム語版
1,200円+税　〔ISBN978-4-88319-765-1〕

### ●新完全マスター読解
日本語能力試験N1
1,400円+税　〔ISBN978-4-88319-571-8〕
日本語能力試験N2
1,400円+税　〔ISBN978-4-88319-572-5〕
日本語能力試験N3
1,400円+税　〔ISBN978-4-88319-671-5〕
日本語能力試験N3 ベトナム語版
1,400円+税　〔ISBN978-4-88319-722-4〕
日本語能力試験N4
1,200円+税　〔ISBN978-4-88319-764-4〕

### ●新完全マスター単語
日本語能力試験N2 重要2200語
1,600円+税　〔ISBN978-4-88319-762-0〕
日本語能力試験N3 重要1800語
1,600円+税　〔ISBN978-4-88319-735-4〕

### ●新完全マスター文法
日本語能力試験N1
1,200円+税　〔ISBN978-4-88319-564-0〕
日本語能力試験N2
1,200円+税　〔ISBN978-4-88319-565-7〕
日本語能力試験N3
1,200円+税　〔ISBN978-4-88319-610-4〕
日本語能力試験N3 ベトナム語版
1,200円+税　〔ISBN978-4-88319-717-0〕
日本語能力試験N4
1,200円+税　〔ISBN978-4-88319-694-4〕
日本語能力試験N4 ベトナム語版
1,200円+税　〔ISBN978-4-88319-725-5〕

### ●新完全マスター聴解
日本語能力試験N1（CD付）
1,600円+税　〔ISBN978-4-88319-566-4〕
日本語能力試験N2（CD付）
1,600円+税　〔ISBN978-4-88319-567-1〕
日本語能力試験N3（CD付）
1,500円+税　〔ISBN978-4-88319-609-8〕
日本語能力試験N3 ベトナム語版（CD付）
1,500円+税　〔ISBN978-4-88319-710-1〕
日本語能力試験N4（CD付）
1,500円+税　〔ISBN978-4-88319-763-7〕

### ■読解攻略！ 日本語能力試験 N1レベル
1,400円+税
〔ISBN978-4-88319-706-4〕

## ■ 日本語能力試験模擬テスト

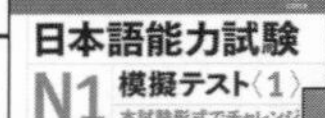

CD付
各冊900円+税

### ●日本語能力試験N1 模擬テスト
〈1〉〔ISBN978-4-88319-556-5〕
〈2〉〔ISBN978-4-88319-575-6〕
〈3〉〔ISBN978-4-88319-631-9〕
〈4〉〔ISBN978-4-88319-652-4〕

### ●日本語能力試験N2 模擬テスト
〈1〉〔ISBN978-4-88319-557-2〕
〈2〉〔ISBN978-4-88319-576-3〕
〈3〉〔ISBN978-4-88319-632-6〕
〈4〉〔ISBN978-4-88319-653-1〕

スリーエーネットワーク
ウェブサイトで新刊や日本語セミナーをご案内しております。
https://www.3anet.co.jp/

# 新完全マスター漢字
# 日本語能力試験 N3

スリーエーネットワーク

# 漢字と言葉のリスト

【漢字と言葉のリストの見方】

| 10 | 然 | ゼン | 全然<br>当然(な) |
|---|---|---|---|
| 11 | 増 | ゾウ | 増加 |
| | | ふ・える | 増える |
| | | ふ・やす | 増やす(他) |
| 16 | 造 | ゾウ | 製造 |
| 17 | 働 | ドウ | 労働 |
| | | はたら・く | |

当然　Of course　理所当然
増やす　Increase　增加
速度　Speed, rate, tempo　速度
⋮

製造(する)　Manufacture, produce　制造
労働(する)　Work, labor　劳动
⋮

N３レベルの言葉には英語訳・中国語訳が付いています。

(他)は他動詞です。

N5・N4レベルで学習した読み方です。

## 第１部　一つの漢字で言葉になる漢字

### 第１回　訓読み：名詞

| No. | 漢字 | 読み方 | 言葉 |
|---|---|---|---|
| 1 | 辺 | あたり | 辺り |
| 2 | 市 | シ | |
| | | いち | 市場 |
| 3 | 糸 | いと | 糸　毛糸 |
| 4 | 命 | いのち | 命 |
| 5 | 岩 | いわ | 岩 |
| 6 | 馬 | うま | 馬 |
| 7 | 貝 | かい | 貝 |
| 8 | 型 | かた | 型　大型<br>小型 |
| 9 | 語 | ゴ | |
| | | かた・る | 物語 |
| 10 | 側 | がわ | ～側　外側 |
| 11 | 草 | くさ | 草 |
| 12 | 組 | くみ | 組　番組 |
| 13 | 雲 | くも | 雲 |

| No. | 漢字 | 読み方 | 言葉 |
|---|---|---|---|
| 14 | 毛 | け | 毛　毛糸 |
| 15 | 米 | こめ | 米 |
| 16 | 酒 | さけ | (お)酒 |
| 17 | 玉 | たま | 玉 |
| 18 | 妻 | つま | 妻 |
| 19 | 寺 | てら | 寺 |
| 20 | 供 | とも | 子供 |
| 21 | 根 | ね | 根　屋根 |
| 22 | 葉 | は | 葉 |
| 23 | 畑 | はたけ | 畑 |
| 24 | 星 | ほし | 星 |
| 25 | 窓 | まど | 窓　窓口 |
| 26 | 皆 | みな | 皆　皆さん |
| 27 | 昔 | むかし | 昔 |
| 28 | 虫 | むし | 虫 |
| 29 | 雪 | ゆき | 雪　大雪 |

辺り　Surroundings　周围
市場　Market　市场
毛糸　Wool, yarn　毛线
命　Life　生命
岩　Rock　岩石
馬　Horse　马
貝　Shellfish　贝
型　Type, style　类型
大型　Large, big　大型
小型　Small, little　小型
物語　Story, tale　故事
外側　Outside　外侧
草　Grass, herbage　草
組　Homeroom, class　班级
玉　Ball　玉
根　Root　根
屋根　Roof　屋顶
畑　Field　旱田
窓口　Window　窗口
大雪　Heavy snow, snowstorm　大雪

# 第２回　訓読み：動詞（１）

| No. | 漢字 | 読み方 | 言葉 |
|---|---|---|---|
| 1 | 打 | う・つ | 打つ（他） |
| 2 | 押 | お・す | 押す（他）<br>押し入れ |
| | | お・さえる | 押さえる（他） |
| 3 | 落 | お・ちる | 落ちる<br>落ち着く |
| | | お・とす | 落とす（他）<br>落とし物 |
| 4 | 折 | お・る | 折る（他） |
| | | お・れる | 折れる |
| 5 | 比 | くら・べる | 比べる（他） |
| 6 | 越 | こ・す | 乗り越す<br>引っ越し<br>引っ越す |
| | | こ・える | 越える |
| 7 | 込 | こ・む | 込む |
| 8 | 殺 | ころ・す | 殺す（他） |
| 9 | 泣 | な・く | 泣く |
| 10 | 投 | な・げる | 投げる（他） |
| 11 | 並 | なら・べる | 並べる（他） |
| | | なら・ぶ | 並ぶ |
| 12 | 払 | はら・う | 払う（他） |
| 13 | 迎 | むか・える | 迎える（他） |
| 14 | 呼 | よ・ぶ | 呼ぶ（他） |
| 15 | 渡 | わた・る | 渡る |
| | | わた・す | 渡す（他） |
| 16 | 笑 | わら・う | 笑う |

打つ　Hit, strike　打
押さえる　Hold down, restrain　压
落ち着く　Calm down, feel more relaxed　镇定
落とし物　Lost property　遗失物
折る　Fold, crease　折
折れる　Break　折断
比べる　Compare　比较
乗り越す　Go further than intended　坐过站
引っ越し（する）　Move home, relocate　搬家
越える　Go over, cross　越过
殺す　Kill　杀

## 第3回　訓読み：動詞(2)

| No. | 漢字 | 読み方 | 言葉 |
|---|---|---|---|
| 1 | 効 | き・く | 効く |
| 2 | 困 | こま・る | 困る |
| 3 | 助 | たす・ける | 助ける(他) |
| | | たす・かる | 助かる |
| 4 | 付 | つ・ける | 付ける(他)<br>日付 |
| | | つ・く | 付く<br>付き合う<br>気付く<br>近付く |
| 5 | 続 | つづ・く | 続く　続き<br>手続き |
| | | つづ・ける | 続ける(他) |
| 6 | 届 | とど・ける | 届ける(他)<br>届け |
| | | とど・く | 届く |
| 7 | 泊 | と・まる | 泊まる |
| 8 | 鳴 | な・く | 鳴く |
| | | な・る | 鳴る |
| 9 | 逃 | に・げる | 逃げる |
| 10 | 願 | ねが・う | 願う(他) |
| 11 | 計 | ケイ | |
| | | はか・る | 計る(他) |
| 12 | 晴 | は・れる | 晴れる　晴れ |
| 13 | 減 | へ・る | 減る |
| | | へ・らす | 減らす(他) |
| 14 | 負 | ま・ける | 負ける |
| 15 | 学 | ガク | |
| | | まな・ぶ | 学ぶ(他) |

| No. | 漢字 | 読み方 | 言葉 |
|---|---|---|---|
| 16 | 申 | もう・す | 申す(他)<br>申し上げる(他)<br>申し込み<br>申し込む(他) |
| 17 | 喜 | よろこ・ぶ | 喜ぶ |

効く　Be effective　有效
助ける　Help　帮助
助かる　Get out of difficulty, be helped out　得救
付ける　Apply, put on　戴上、挂上
日付　Date　日期
付く　Stick, adhere　附着
付き合う　Socialize with, see one another, date　交往；谈恋爱
気付く　Notice, perceive　发现
近付く　Approach, draw closer　靠近
続き　Continuation, next part　后续
手続き(する)　(Carry out a) procedure　手续
届け　Report, notification　申请表
届く　Reach, arrive　到达
願う　Hope, wish　请求
計る　Measure, keep time　测量
減る　Decrease, grow smaller　缩减
減らす　Reduce, make smaller　减少
学ぶ　Study, learn　学习
申し込み　Application　申请
申し込む　Apply, propose　申请

# 第(だい)4回(かい)　訓読(くんよ)み：形容詞(けいようし)など

| No. | 漢字(かんじ) | 読(よ)み方(かた) | 言葉(ことば) |
|---|---|---|---|
| 1 | 暖 | あたた・かい | 暖(あたた)かい |
| | | あたた・まる | 暖(あたた)まる |
| | | あたた・める | 暖(あたた)める（他） |
| 2 | 厚 | あつ・い | 厚(あつ)い |
| 3 | 忙 | いそが・しい | 忙(いそが)しい |
| 4 | 悲 | かな・しい | 悲(かな)しい |
| 5 | 黄 | き | 黄色(きいろ)　黄色(きいろ)い |
| 6 | 静 | しず・か | 静(しず)か（な） |
| 7 | 涼 | すず・しい | 涼(すず)しい |
| 8 | 久 | ひさ・しい | 久(ひさ)しぶり（な） |
| 9 | 真 | シン | |
| | | ま | 真(ま)っ暗(くら)（な） |
| 10 | 全 | ゼン | |
| | | まった・く | |
| | | すべ・て | 全(すべ)て |
| 11 | 丸 | まる | 丸(まる) |
| | | まる・い | 丸(まる)い |
| 12 | 難 | むずか・しい | 難(むずか)しい |
| 13 | 者 | シャ | |
| | | もの | 若者(わかもの) |
| 14 | 若 | わか・い | 若(わか)い　若者(わかもの) |

暖まる　Be warm up, heated　暖和
暖める　Warm up, heat　温暖
真っ暗　Pitch dark　漆黑
全て　All　全部
丸　Circle　圆
若者　Young people, youths　年轻人

# 第2部　たくさんの言葉を作る漢字

## 第5回　たくさんの言葉を作る漢字：音読み

| No. | 漢字 | 読み方 | 言葉 |
|---|---|---|---|
| 1 | 各 | カク | 各～(かく) |
| 2 | 感 | カン | 感情(かんじょう)　感じる(かん)(他)　感心(かんしん)　感動(かんどう) |
| 3 | 記 | キ | 記事(きじ)　記者(きしゃ)　記入(きにゅう)　日記(にっき) |
| 4 | 期 | キ | 期間(きかん)　学期(がっき)　時期(じき) |
| 5 | 具 | グ | 具合(ぐあい)　具体的な(ぐたいてき)　家具(かぐ)　道具(どうぐ) |
| 6 | 実 | ジツ | 実験(じっけん)　実は(じつ)　実力(じつりょく)　事実(じじつ) |
| 7 | 女 | ジョ<br>おんな | 女性(じょせい)　長女(ちょうじょ) |
| 8 | 情 | ジョウ | 情報(じょうほう)　感情(かんじょう)　事情(じじょう)　友情(ゆうじょう) |
| 9 | 信 | シン | 信号(しんごう)　信じる(しん)(他)　信用(しんよう)　自信(じしん)　返信(へんしん) |
| 10 | 性 | セイ | 性質(せいしつ)　性別(せいべつ)　女性(じょせい)　男性(だんせい) |
| 11 | 製 | セイ | ～製(せい)　製品(せいひん) |
| 12 | 線 | セン | 線(せん)　下線(かせん)　電線(でんせん) |
| 13 | 第 | ダイ | 第～(だい) |
| 14 | 男 | ダン<br>おとこ | 男性(だんせい) |
| 15 | 的 | テキ | ～的(てき)　具体的(ぐたいてき)(な) |
| 16 | 費 | ヒ | 費用(ひよう)　会費(かいひ)　学費(がくひ) |
| 17 | 副 | フク | 副～(ふく) |
| 18 | 報 | ホウ | 情報(じょうほう)　注意報(ちゅういほう)　電報(でんぽう) |
| 19 | 友 | ユウ | 友情(ゆうじょう)　友人(ゆうじん)　親友(しんゆう) |
| 20 | 両 | リョウ | 両～(りょう)　両側(りょうがわ)　両親(りょうしん)　両方(りょうほう) |
| 21 | 力 | リョク<br>ちから | 学力(がくりょく)　実力(じつりょく)　全力(ぜんりょく)　体力(たいりょく) |

各～　Each, every　各自
感情　Feelings, emotion　感情
感じる　Feel, have sense of　感觉
感心（する）　Admire, be impressed　佩服
感動（する）　Be impressed, inspired　感动
記事　Article, news story　新闻报道
記者　Reporter　记者
記入（する）　Fill in, complete　录入
期間　Period　期间
学期　Semester, term　学期
時期　Period, time of year　时期
具体的　Concrete, specific　具体的
家具　Furniture　家具
実験（する）　Experiment, do a test　实验
実は　Actually, in fact　实际上
実力　Ability, strength　实际能力
事実　Fact　事实
長女　Eldest or oldest daughter　长女
情報　Information　信息
事情　Situation　原因
友情　Friendship, fellowship　友情
信号　Signal　红绿灯
信じる　Believe　相信
信用（する）　Have faith, trust, confidence in　相信
自信　Self-confidence　自信
返信（する）　Reply, respond　回信
性質　Nature, character　性质
性別　Gender　性别
製品　Product　产品
下線　Underline　下画线
電線　Electric wire　电线
第～　Cardinal number marker (equivalent to -st, -nd, etc)　第…
～的　Of (possessive particle), relating to　…的
費用　Cost, expense　花费
会費　Membership fee　会费
学費　Tuition fee　学费
副～　Vice-, deputy-　副…
注意報　Advisory, warning　(灾害等）警报
友人　Friend　朋友
親友　Best, closest friend　挚友
両～　Both　两…
両側　Both sides　两侧
学力　Academic ability　学识能力
全力　Full force　全力
体力　Physical fitness, bodily strength　体力

# 第6回　たくさんの言葉を作る漢字：音読みと訓読み

| No. | 漢字 | 読み方 | 言葉 |
|---|---|---|---|
| 1 | 案 | アン | 案内 |
| 2 | 温 | オン | 温度　温度計<br>気温　体温<br>体温計 |
| | | あたた・かい | 温かい |
| | | あたた・まる | 温まる |
| | | あたた・める | 温める（他） |
| 3 | 加 | カ | 参加　増加<br>追加 |
| | | くわ・える | 加える（他） |
| 4 | 果 | カ | 結果 |
| 5 | 決 | ケツ | 決して　決心 |
| | | き・める | 決める（他） |
| | | き・まる | 決まる |
| 6 | 結 | ケツ | 結果　結婚<br>結論 |
| | | むす・ぶ | 結ぶ（他） |
| 7 | 婚 | コン | 結婚 |
| 8 | 最 | サイ | 最近　最後<br>最高　最大 |
| | | もっと・も | 最も |
| 9 | 参 | サン | 参加 |
| | | まい・る | 参る |
| 10 | 然 | ゼン | 全然<br>当然（な） |
| 11 | 増 | ゾウ | 増加 |
| | | ふ・える | 増える |
| | | ふ・やす | 増やす（他） |

| No. | 漢字 | 読み方 | 言葉 |
|---|---|---|---|
| 12 | 速 | ソク | 速度　時速<br>風速 |
| | | はや・い | 速い |
| 13 | 追 | ツイ | 追加 |
| | | お・う | 追う（他）<br>追い越す<br>追い付く |
| 14 | 当 | トウ | 当然（な）<br>当番　本当 |
| | | あ・たる | 当たる<br>日当たり |
| | | あ・てる | 当てる（他） |
| 15 | 内 | ナイ | 内科　内容<br>案内　以内<br>家内 |
| | | うち | 内側 |
| 16 | 表 | ヒョウ | 表　表面<br>代表　発表 |
| | | おもて | 表 |
| 17 | 面 | メン | 正面　場面<br>表面　方面 |
| | | おも | 面白い |
| 18 | 容 | ヨウ | 内容 |
| 19 | 論 | ロン | 結論 |

温度計　Thermometer (household)　温度计
気温　(Air) temperature　气温
体温　(Body) temperature　体温
体温計　Thermometer (medical)　体温计
温まる　Be heated up　热
温める　Heat up　热
参加（する）　Participate, take part in　参加
増加（する）　Increase　增加
追加（する）　Add　追加
加える　Add　加上
結果　Result, outcome　结果
決心（する）　Resolve, decide　下决心
結論　Conclusion　结论
結ぶ　Link, tie, conjoin　连接
最高　Highest, best　最好
最大　Largest, maximum　最大
当然　Of course　理所当然
増やす　Increase　增加
速度　Speed, rate, tempo　速度
時速　Speed (miles/kilometers per hour)　时速
風速　Wind speed　风速
追う　Follow, pursue　追
追い越す　Overtake, pass　超越
追い付く　Catch up, draw level　追上
当番　Turn (of duty), turn to be on call　值日
当たる　Hit, bump; win　碰撞；中了
日当たり　Sunshine, daylight　日照
当てる　Hit　射中
内科　Internal medicine　内科
内容　Content　内容
内側　Inside　内侧
表　Table, chart　表格
表面　Surface　表面
代表（する）　Represent　代表
発表（する）　Announce　公布
正面　Face, front, facade　正面
場面　Scene, situation　场景
方面　Direction, quarter　方面

## 第3部　場面の言葉を作る漢字

### 第7回　政治・経済・社会（1）

| No. | 漢字 | 読み方 | 言葉 |
|---|---|---|---|
| 1 | 営 | エイ | 営業 |
| 2 | 易 | エキ | 貿易 |
| 3 | 課 | カ | 課長 |
| 4 | 械 | カイ | 機械 |
| 5 | 管 | カン | 管理 |
| 6 | 機 | キ | 機会　機械 |
| 7 | 技 | ギ | 技術　特技 |
| 8 | 建 | ケン | 建設 |
| | | た・てる | |
| | | た・つ | |
| 9 | 原 | ゲン | 原料 |
| 10 | 広 | コウ | 広告 |
| | | ひろ・い | |
| 11 | 告 | コク | 広告　報告 |
| 12 | 術 | ジュツ | 技術　手術 |
| 13 | 商 | ショウ | 商業　商店　商品 |
| 14 | 職 | ショク | 職業　職場 |
| 15 | 設 | セツ | 建設 |
| 16 | 造 | ゾウ | 製造 |
| 17 | 働 | ドウ | 労働 |
| | | はたら・く | |
| 18 | 農 | ノウ | 農業 |
| 19 | 貿 | ボウ | 貿易 |
| 20 | 輸 | ユ | 輸出　輸入 |
| 21 | 労 | ロウ | 労働 |

営業（する）　Do business; be engaged in sales　营业；销售
管理（する）　Manage　管理
特技　Special skill, technique　特长
建設（する）　Construct, build　建设
原料　Raw materials, ingredients　原材料
広告（する）　Advertise　宣传
報告（する）　Report, brief　报告
手術（する）　Operate (on a patient)　手术
商業　Commerce, trade　商业
商店　Store, shop　商店
商品　Goods, products　商品
職業　Occupation　职业
職場　Workplace　职场
製造（する）　Manufacture, produce　制造
労働（する）　Work, labor　劳动
農業　Agriculture, farming　农业

## 第8回（だいかい） 政治（せいじ）・経済（けいざい）・社会（しゃかい）（2）

| No. | 漢字（かんじ） | 読み方（よみかた） | 言葉（ことば） |
|---|---|---|---|
| 1 | 完 | カン | 完成（かんせい） 完全（かんぜん）（な） |
| 2 | 基 | キ | 基本（きほん） |
| 3 | 議 | ギ | 会議（かいぎ） 会議室（かいぎしつ） |
| 4 | 共 | キョウ | 共通（きょうつう） |
| 5 | 協 | キョウ | 協力（きょうりょく） |
| 6 | 件 | ケン | 事件（じけん） 条件（じょうけん） |
| 7 | 権 | ケン | 権利（けんり） |
| 8 | 限 | ゲン | 期限（きげん） 制限（せいげん） |
| 9 | 公 | コウ | 公園（こうえん） 公務員（こうむいん） |
| 10 | 際 | サイ | 交際（こうさい） 国際（こくさい）<br>国際的（こくさいてき）（な）<br>実際（じっさい） |
| 11 | 条 | ジョウ | 条件（じょうけん） |
| 12 | 臣 | ジン | 総理大臣（そうりだいじん）<br>大臣（だいじん） |
| 13 | 成 | セイ | 成人（せいじん） 成長（せいちょう）<br>完成（かんせい） |
| 14 | 制 | セイ | 制限（せいげん） 制度（せいど）<br>制服（せいふく） |
| 15 | 政 | セイ | 政府（せいふ） |
| 16 | 税 | ゼイ | 税金（ぜいきん） |
| 17 | 総 | ソウ | 総理大臣（そうりだいじん） |
| 18 | 団 | ダン | 団体（だんたい） 団地（だんち） |
| 19 | 府 | フ | 政府（せいふ） |
| 20 | 平 | ヘイ | 平和（へいわ）（な） |
| 21 | 務 | ム | 公務員（こうむいん） 事務（じむ）<br>事務所（じむしょ） |
| 22 | 役 | ヤク | 役（やく）に立（た）つ<br>役所（やくしょ） 役立（やくだ）つ |
| 23 | 和 | ワ | 和室（わしつ） 平和（へいわ）（な） |

完成（する） Finish, complete 完成
完全 Full, complete 完全
基本 Basis, foundation 基础
共通 Common, joint, same 共同
協力（する） Cooperate 提供帮助
事件 Incident 事件
条件 Condition(s) 条件
権利 Right, entitlement 权利
期限 Deadline, due date 期限
制限（する） Limit, curb, restrain 限制
交際（する） Go out with, associate with, date 交往；谈恋爱
国際的 International 国际性的
実際 Fact, actuality 实际
総理大臣 Prime minister, premier 首相
大臣 Minister 大臣
成人 Adult, grown-up 成年人
成長（する） Grow, increase 成长，发展
制度 System 制度
制服 Uniform, kit 制服
政府 Government 政府
税金 Tax 税金
団体 Organization, group 团体
団地 Housing complex, estate 住宅小区
平和 Peace 和平
事務 Clerical work, office business 事务工作
役所 Government office 政府办公地
役立つ Help, be useful in 起作用
和室 Japanese-style room 日式房间

# 第9回　政治・経済・社会（3）

| No. | 漢字(かんじ) | 読み方(よみかた) | 言葉(ことば) |
|---|---|---|---|
| 1 | 価 | カ | 価値(かち)　物価(ぶっか) |
| 2 | 経 | ケイ | 経営(けいえい)　経験(けいけん)<br>経済(けいざい)<br>経済的(けいざいてき)（な） |
| 3 | 現 | ゲン | 現金(げんきん)　現在(げんざい)<br>現代(げんだい) |
| | | あらわ・れる | 現(あらわ)れる |
| | | あらわ・す | 現(あらわ)す（他） |
| 4 | 済 | サイ | 経済(けいざい)<br>経済的(けいざいてき)（な） |
| | | す・む | 済(す)む |
| 5 | 在 | ザイ | 現在(げんざい) |
| 6 | 治 | ジ | 政治(せいじ) |
| | | なお・る | 治(なお)る |
| | | なお・す | 治(なお)す（他） |
| 7 | 勝 | ショウ | 優勝(ゆうしょう) |
| | | か・つ | 勝(か)つ<br>勝手(かって)（な） |
| 8 | 石 | セキ | 石油(せきゆ) |
| | | いし | 石(いし) |
| 9 | 戦 | セン | 戦争(せんそう) |
| | | たたか・う | 戦(たたか)う |
| 10 | 選 | セン | 選手(せんしゅ) |
| | | えら・ぶ | 選(えら)ぶ（他） |
| 11 | 争 | ソウ | 戦争(せんそう) |
| 12 | 段 | ダン | 段(だん)ボール<br>値段(ねだん) |
| 13 | 値 | チ | 価値(かち) |
| | | ね | 値上(ねあ)がり<br>値段(ねだん) |
| 14 | 油 | ユ | しょう油(ゆ)<br>石油(せきゆ) |
| | | あぶら | 油(あぶら) |
| 15 | 優 | ユウ | 優勝(ゆうしょう)　女優(じょゆう) |
| | | やさ・しい | 優(やさ)しい |

価値　Value, worth　价值
物価　Price　物价
経営（する）　Manage, run　经营
経済的　Economic　经济的
現金　Cash　现金
現在　Current, present; now　现在
現代　Modern, contemporary　现代
現れる　Appear　出现
現す　Come into view　出现
治る　Heal, cure　治愈
優勝（する）　Win (competition), claim victory　夺冠
勝手　(Act) selfishly, arbitrarily, without consulting anybody　任意
石油　Petroleum, oil　石油
戦う　Fight　战斗
選手　Player, athlete　运动员
選ぶ　Choose, pick　选择
段ボール　Cardboard (material), cardboard (box)　硬纸板；纸箱
値上がり（する）　(Price) rise　涨价
油　Oil　油
女優　Actress　女演员

# 第10回　教育・文化・生活(1)

| No. | 漢字 | 読み方 | 言葉 |
|---|---|---|---|
| 1 | 解 | カイ | 解決(かいけつ)　解説(かいせつ)　解答(かいとう)　理解(りかい) |
| 2 | 格 | カク | 合格(ごうかく)　資格(しかく)　性格(せいかく) |
| 3 | 簡 | カン | 簡単(かんたん)(な) |
| 4 | 芸 | ゲイ | 芸術(げいじゅつ) |
| 5 | 欠 | ケツ | 欠席(けっせき)　欠点(けってん) |
| 6 | 雑 | ザツ | 雑誌(ざっし) |
| 7 | 私 | シ | 私立(しりつ) |
| | | わたくし | |
| | | わたし | |
| 8 | 資 | シ | 資格(しかく)　資料(しりょう) |
| 9 | 誌 | シ | 雑誌(ざっし) |
| 10 | 辞 | ジ | 辞書(じしょ) |
| 11 | 授 | ジュ | 授業(じゅぎょう)　教授(きょうじゅ) |
| 12 | 宿 | シュク | 宿題(しゅくだい) |
| 13 | 席 | セキ | 席(せき)　欠席(けっせき)　出席(しゅっせき) |
| 14 | 卒 | ソツ | 卒業(そつぎょう) |
| 15 | 単 | タン | 単語(たんご)　簡単(かんたん)(な) |
| 16 | 短 | タン | 短期大学(たんきだいがく)　短所(たんしょ) |
| | | みじか・い | |
| 17 | 点 | テン | 点(てん)　点線(てんせん)　欠点(けってん) |
| 18 | 答 | トウ | 解答(かいとう) |
| | | こた・える | |
| | | こた・え | |
| 19 | 等 | トウ | 高等学校(こうとうがっこう) |
| 20 | 法 | ホウ | 文法(ぶんぽう)　方法(ほうほう) |
| 21 | 立 | リツ | 公立(こうりつ)　国立(こくりつ)　私立(しりつ) |
| | | た・つ | |
| | | た・てる | |

解決(する)　Solve, resolve　解决
解説(する)　Explain, interpret　解释
解答(する)　Answer, give answer　解答
理解(する)　Understand　理解
合格(する)　Pass, qualify　(考试等)通过
資格　Qualification　资格
性格　Personality, character　性格
芸術　Art, the Arts　艺术
欠席(する)　Fail to attend, be absent　缺席
欠点　Flaw, drawback, shortcoming　缺点
私立　Private　私立
資料　Documents, information　资料
教授　Professor　教授
単語　Word　单词
短期大学　Junior college, two-year college　短期大学(相当于中国的大专或中专)
短所　Shortcoming, defect, deficiency　缺点
点線　Dotted line　虚线
方法　Method, way　方法
公立　Public　公立
国立　National, state-run　国立

# 第11回(だいかい)　教育(きょういく)・文化(ぶんか)・生活(せいかつ)（2）

| No. | 漢字(かんじ) | 読み方(よみかた) | 言葉(ことば) |
|---|---|---|---|
| 1 | 絵 | エ | 絵(え)　絵の具(えのぐ) |
| 2 | 階 | カイ | ～階(かい)　階段(かいだん) |
| 3 | 活 | カツ | 活動(かつどう)　生活(せいかつ) |
| 4 | 器 | キ | 楽器(がっき)　食器(しょっき) |
| 5 | 球 | キュウ | 地球(ちきゅう)　電球(でんきゅう) |
| 6 | 給 | キュウ | 給食(きゅうしょく)　給料(きゅうりょう) |
| 7 | 局 | キョク | 結局(けっきょく)　薬局(やっきょく) |
| 8 | 財 | ザイ | 財産(ざいさん) |
| 9 | 算 | サン | 計算(けいさん)　足し算(たしざん)<br>引き算(ひきざん)　予算(よさん) |
| 10 | 支 | シ | 支出(ししゅつ)　支店(してん)<br>支払い(しはらい)<br>支払う(しはらう)（他） |
| 11 | 収 | シュウ | 収入(しゅうにゅう) |
| 12 | 修 | シュウ | 修理(しゅうり)　研修(けんしゅう) |
| 13 | 常 | ジョウ | 非常口(ひじょうぐち)<br>非常に(ひじょうに) |
| 14 | 早 | ソウ<br>はや・い | 早退(そうたい) |
| 15 | 退 | タイ | 退院(たいいん)　早退(そうたい) |
| 16 | 宅 | タク | お宅(おたく)　住宅(じゅうたく) |
| 17 | 非 | ヒ | 非常口(ひじょうぐち)<br>非常に(ひじょうに) |
| 18 | 保 | ホ | 保険(ほけん) |
| 19 | 薬 | ヤク<br>くすり | 薬局(やっきょく) |
| 20 | 予 | ヨ | 予算(よさん)　予報(よほう)<br>天気予報(てんきよほう) |
| 21 | 類 | ルイ | 書類(しょるい) |

絵の具　Paints (for art)　颜料
活動（する）　Engage in, be active in　活动
楽器　Musical instrument　乐器
食器　Tableware, dishes　餐具
地球　The Earth　地球
電球　Light bulb　灯泡
給食　School meal　提供伙食
給料　Salary, wages　薪水
結局　After all, in the event　最终
薬局　Pharmacy　药店
財産　Property, assets　财产
計算（する）　Calculate　计算
足し算（する）　Add up　加
引き算（する）　Subtract, deduct　减
予算　Budget　预算
支出　Spending, expenditure　支出
支店　Branch　分店
支払い　Payment　支付
支払う　Pay　支付
収入　Revenue, income　收入
修理（する）　Repair, mend　修理
研修（する）　Undergo training　进修
非常口　Emergency exit　紧急通道
早退（する）　Leave early, go home early　提前下班
住宅　Housing　住宅
保険　Insurance　保险
予報（する）　Forecast, predict　预报
書類　Documents, papers　文件

# 第12回　教育・文化・生活（3）

| No. | 漢字 | 読み方 | 言葉 |
|---|---|---|---|
| 1 | 因 | イン | 原因 |
| 2 | 王 | オウ | 王　国王<br>女王 |
| 3 | 介 | カイ | 紹介 |
| 4 | 司 | シ | 司会 |
| 5 | 師 | シ | 医師　教師 |
| 6 | 式 | シキ | ～式 |
| 7 | 失 | シツ | 失業　失敗<br>失礼（な） |
| 8 | 準 | ジュン | 準備 |
| 9 | 紹 | ショウ | 紹介 |
| 10 | 身 | シン | 身長　出身 |
| 11 | 束 | ソク | 約束 |
| 12 | 達 | タツ | 速達　発達 |
| 13 | 念 | ネン | 記念 |
| 14 | 敗 | ハイ | 失敗 |
| 15 | 備 | ビ | 準備 |
| 16 | 婦 | フ | 産婦人科<br>主婦 |
| 17 | 普 | フ | 普通 |
| 18 | 未 | ミ | 未来 |
| 19 | 約 | ヤク | 約　約束<br>予約 |
| 20 | 礼 | レイ | （お）礼<br>失礼（な） |
| 21 | 老 | ロウ | 老人 |

原因　Cause　原因
王　King　国王
国王　King　国王
女王　Queen　女王
司会（する）　Act as moderator, host (at a meeting), MC　主持
医師　Doctor, physician　医生
教師　Teacher　教师
失業（する）　Be unemployed, lose job　失业
身長　Height (body)　身高
出身　Originate in, come from, graduate from　出生地、毕业院校
速達　Special delivery, express mail　快递
発達（する）　Develop, grow　成熟
記念（する）　Commemorate　留念、纪念
産婦人科　Obstetrics and gynecology department　妇产科
主婦　Housewife　家庭主妇
未来　Future　未来
約　About, roughly　大约
老人　Old person　老人

## 第13回　教育・文化・生活（4）

| No. | 漢字 | 読み方 | 言葉 |
|---|---|---|---|
| 1 | 愛 | アイ | 愛　愛情 |
| 2 | 化 | カ | 化学　文化 |
| 3 | 可 | カ | 可能（な） |
| 4 | 疑 | ギ | 疑問 |
| 5 | 検 | ケン | 検査 |
| 6 | 査 | サ | 検査 |
| 7 | 才 | サイ | ～才　才能　天才 |
| 8 | 史 | シ | 歴史 |
| 9 | 省 | セイ | 反省 |
| 10 | 責 | セキ | 責任 |
| 11 | 想 | ソウ | 感想　予想　理想 |
| 12 | 足 | ソク | 不足　満足（な） |
| | | あし | |
| | | た・りる | |
| | | た・す | |
| 13 | 存 | ゾン | ご存じ　保存 |
| 14 | 対 | タイ | 対　反対 |
| 15 | 読 | ドク | 読書 |
| | | よ・む | |
| 16 | 任 | ニン | 責任 |
| 17 | 能 | ノウ | 能力　可能（な）　才能 |
| 18 | 反 | ハン | 反省　反対 |
| 19 | 満 | マン | 満員　満足（な）　不満（な） |
| 20 | 歴 | レキ | 歴史　学歴 |

愛　Love　爱
愛情　Love, affection　感情
化学　Chemistry　化学
可能　Possible　可能
疑問　Question, query　疑问
検査（する）　Inspect, check, examine　检查
才能　Talent, ability　才能
天才　Genius　天才
反省（する）　Reflect on ruefully, engage in soul-searching　反省
責任　Responsibility　责任
感想　Impression, idea　感想
予想（する）　Expect, foresee　预想
理想　Ideal　理想
不足（する）　Lack, be deficient in　不足
満足（する）　Satisfy, satisfied　满足、满意
保存（する）　Save, preserve　保存
対　Versus, vs　比
読書　Reading　读书
能力　Ability, competence　能力
満員　Full to capacity (with people)　满员
不満　Dissatisfaction　不满
学歴　Educational background, academic record　学历

# 第14回（だいかい） 教育（きょういく）・文化（ぶんか）・生活（せいかつ）（5）

| No. | 漢字（かんじ） | 読み方（よみかた） | 言葉（ことば） |
|---|---|---|---|
| 1 | 関 | カン | 関係（かんけい） 関心（かんしん）<br>関連（かんれん）<br>交通機関（こうつうきかん）<br>税関（ぜいかん） |
| 2 | 休 | キュウ | 連休（れんきゅう） |
| | | やす・む | |
| 3 | 勤 | キン | 出勤（しゅっきん） 通勤（つうきん） |
| | | つと・める | 勤める（つと） |
| 4 | 君 | クン | ～君（くん） |
| | | きみ | 君（きみ） |
| 5 | 係 | ケイ | 関係（かんけい） |
| | | かかり | 係（かかり） |
| 6 | 血 | ケツ | 出血（しゅっけつ） |
| | | ち | 血（ち） |
| 7 | 幸 | コウ | 幸福（こうふく）（な）<br>不幸（ふこう）（な） |
| | | しあわ・せ | 幸せ（しあわ）（な） |
| 8 | 香 | コウ | 香水（こうすい） |
| | | かお・り | 香り（かお） |
| 9 | 歯 | シ | 歯科（しか） |
| | | は | 歯（は） 歯医者（はいしゃ）<br>虫歯（むしば） |
| 10 | 接 | セツ | 直接（ちょくせつ） 面接（めんせつ） |
| 11 | 他 | タ | 他人（たにん） |
| | | ほか | 他（ほか） その他（ほか） |
| 12 | 直 | チョク | 直接（ちょくせつ） 直線（ちょくせん） |
| | | なお・す | 直す（なお）（他）<br>見直す（みなお）（他） |
| | | なお・る | 直る（なお） |

| No. | 漢字（かんじ） | 読み方（よみかた） | 言葉（ことば） |
|---|---|---|---|
| 13 | 庭 | テイ | 家庭（かてい） |
| | | にわ | 庭（にわ） |
| 14 | 夫 | フウ | 夫婦（ふうふ） |
| | | おっと | 夫（おっと） |
| 15 | 福 | フク | 幸福（こうふく）（な） |
| 16 | 忘 | ボウ | 忘年会（ぼうねんかい） |
| | | わす・れる | 忘れる（わす）（他）<br>忘れ物（わすれもの） |
| 17 | 夢 | ム | 夢中（むちゅう）（な） |
| | | ゆめ | 夢（ゆめ） |
| 18 | 連 | レン | 連休（れんきゅう） 関連（かんれん） |
| | | つ・れる | 連れる（つ）（他） |

関心 Interest, concern 关心
関連（する） Relate to, be connected with 相关
交通機関 Transportation facilities, public transport 交通、通信部门
税関 Customs 海关
連休 String of one-day holidays, multi-day holiday 长假
出勤（する） Go to work, attend 上班
通勤（する） Commute to work 通勤
係 Person in charge of 负责人
出血（する） Bleed 出血
幸福 Happiness 幸福
不幸 Unhappiness 不幸
幸せ Happiness 幸运
香水 Perfume 香水
香り Fragrance, aroma 香气
歯科 Dentistry 牙科
虫歯 Tooth decay 虫牙
直接 Direct 直接
面接（する） Interview 面试
他人 Other person, other people 别人
その他 Other, etc. 其他
直線 Straight line, direct line 直线
見直す Review, check for errors 重新看
夫婦 Married couple 夫妇
忘年会 Year-end party 忘年会
夢中 Lost in, wrapped up in 痴迷

# 第15回（だいかい） 交通・旅行（こうつう・りょこう）（1）

| No. | 漢字（かんじ） | 読み方（よみかた） | 言葉（ことば） |
|---|---|---|---|
| 1 | 遠 | エン | 遠足（えんそく） |
| | | とお・い | |
| 2 | 央 | オウ | 中央（ちゅうおう） |
| 3 | 億 | オク | 億（おく） |
| 4 | 観 | カン | 観客（かんきゃく） 観光（かんこう） 客観的（きゃっかんてき）（な） |
| 5 | 客 | キャク | 客（きゃく） 客観的（きゃっかんてき）（な） 観客（かんきゃく） |
| 6 | 故 | コ | 交通事故（こうつうじこ） 事故（じこ） |
| 7 | 個 | コ | ～個（こ） 個人（こじん） 個性（こせい） |
| 8 | 光 | コウ | 観光（かんこう） |
| | | ひか・る | |
| | | ひかり | |
| 9 | 航 | コウ | 航空機（こうくうき） |
| 10 | 証 | ショウ | 証明書（しょうめいしょ） |
| 11 | 送 | ソウ | 送信（そうしん） 送別会（そうべつかい） 送料（そうりょう） 放送（ほうそう） |
| | | おく・る | |
| 12 | 鉄 | テツ | 鉄（てつ） 鉄道（てつどう） 私鉄（してつ） 地下鉄（ちかてつ） |
| 13 | 倍 | バイ | 倍（ばい） |
| 14 | 秒 | ビョウ | 秒（びょう） |
| 15 | 放 | ホウ | 放送（ほうそう） |
| 16 | 枚 | マイ | ～枚（まい） |
| 17 | 末 | マツ | 月末（げつまつ） 週末（しゅうまつ） |
| 18 | 明 | メイ | 説明（せつめい） 発明（はつめい） |
| | | あか・るい | |
| 19 | 路 | ロ | 高速道路（こうそくどうろ） 線路（せんろ） 道路（どうろ） |

遠足 Excursion, field trip **郊游**
中央 Center, middle **中央**
観客 Audience, spectators **观众**
観光 Tourism **观光**
客観的 Objectively **客观的**
交通事故 Traffic accident **交通事故**
個人 Individual **个人**
個性 Personality, character **个性**
航空機 Aircraft **飞机**
証明書 Certificate, testimonial **证明**
送信（する） Send, transmit **发送（信号、邮件等）**
送別会 Farewell party, send-off party **送别会**
送料 Postage, shipping costs **运费**
鉄 Iron **铁**
鉄道 Railway **铁路**
私鉄 Private railway **民营铁路**
月末 End of the month **月末**
週末 Weekend **周末**
発明（する） Invent **发明**
高速道路 Highway, expressway **高速公路**
線路 Railway tracks **铁轨**
道路 Road, street **公路**

# 第16回 交通・旅行（2）

| No. | 漢字 | 読み方 | 言葉 |
|---|---|---|---|
| 1 | 位 | イ | 位置(いち) |
| 2 | 泳 | エイ | 水泳(すいえい) |
| | | およ・ぐ | 泳(およ)ぐ |
| 3 | 横 | オウ | 横断(おうだん) |
| | | よこ | 横(よこ) |
| 4 | 過 | カ | 通過(つうか) |
| | | す・ぎる | 過(す)ぎる<br>～過(す)ぎ<br>～過(す)ぎる |
| | | す・ごす | 過(す)ごす（他） |
| 5 | 角 | カク | 四角(しかく)い　方角(ほうがく) |
| | | かど | 角(かど) |
| 6 | 向 | コウ | 方向(ほうこう) |
| | | む・く | 向(む)く　向(む)き |
| | | む・かう | 向(む)かう<br>向(む)かい |
| | | む・こう | 向(む)こう |
| 7 | 港 | コウ | 空港(くうこう) |
| | | みなと | 港(みなと) |
| 8 | 差 | サ | 交差点(こうさてん)　時差(じさ) |
| | | さ・す | 差(さ)し上(あ)げる（他） |
| 9 | 座 | ザ | 座席(ざせき) |
| | | すわ・る | 座(すわ)る |
| 10 | 山 | サン | 火山(かざん)　登山(とざん) |
| | | やま | |
| 11 | 船 | セン | 風船(ふうせん) |
| | | ふね | 船(ふね) |
| 12 | 断 | ダン | 断水(だんすい)　横断(おうだん) |
| | | ことわ・る | 断(ことわ)る（他） |

| No. | 漢字 | 読み方 | 言葉 |
|---|---|---|---|
| 13 | 置 | チ | 位置(いち) |
| | | お・く | 置(お)く（他）<br>物置(ものおき) |
| 14 | 登 | ト | 登山(とざん) |
| | | のぼ・る | 登(のぼ)る |
| 15 | 島 | トウ | 半島(はんとう) |
| | | しま | 島(しま) |
| 16 | 波 | ハ | 電波(でんぱ) |
| | | なみ | 波(なみ) |
| 17 | 飛 | ヒ | 飛行機(ひこうき)<br>飛行場(ひこうじょう) |
| | | と・ぶ | 飛(と)ぶ |
| 18 | 美 | ビ | 美術(びじゅつ)　美術館(びじゅつかん) |
| | | うつく・しい | 美(うつく)しい |
| 19 | 遊 | ユウ | 遊園地(ゆうえんち) |
| | | あそ・ぶ | 遊(あそ)ぶ　遊(あそ)び |
| 20 | 絡 | ラク | 連絡(れんらく) |

位置　Position, place, location　**位置**
横断（する）　Cross, go over　**横穿**
通過（する）　Go, pass through　**通过、过境**
過ごす　Spend, pass time　**度过**
四角い　Square　**四方形的**
方角　Bearings, way　**方位、角度**
方向　Direction　**方向**
向く　Face, be facing　**朝向**
向き　(place)-facing　**面向**
向かい　Opposite, across the way　**对面**
時差　Time difference　**时差**
座席　Seat, place　**座位**
火山　Volcano　**火山**
登山（する）　Climb (mountain)　**登山**
風船　Balloon　**气球**
断水（する）　Cut water supply　**断水**
断る　Refuse, say no, excuse oneself from　**拒绝**
物置　Storeroom, closet　**储物间、仓库**
半島　Peninsula　**半岛**
電波　Radiowave　**电波**
波　Wave　**波浪**
美術　Art, fine arts　**美术**
遊園地　Amusement park　**游乐园**

# 第４部　音読みと訓読みを覚える漢字

## 第17回　新しく音読みを覚える漢字：動詞

| No. | 漢字 | 読み方 | 言葉 |
|---|---|---|---|
| 1 | 歌 | カ | 歌手(かしゅ) |
| | | うた | |
| | | うた・う | |
| 2 | 開 | カイ | 開会(かいかい)　開始(かいし) |
| | | ひら・く | |
| | | あ・く | |
| | | あ・ける | |
| 3 | 帰 | キ | 帰国(きこく)　帰宅(きたく) |
| | | かえ・る | |
| | | かえ・す | |
| 4 | 禁 | キン | 禁止(きんし) |
| 5 | 考 | コウ | 参考(さんこう) |
| | | かんが・える | |
| 6 | 止 | シ | 禁止(きんし)　中止(ちゅうし) |
| | | と・まる | |
| | | と・める | |
| 7 | 始 | シ | 開始(かいし) |
| | | はじ・める | |
| | | はじ・まる | |
| 8 | 思 | シ | 不思議(ふしぎ)(な) |
| | | おも・う | |
| 9 | 習 | シュウ | 学習(がくしゅう)　自習(じしゅう)　実習(じっしゅう)　復習(ふくしゅう)　予習(よしゅう)　練習(れんしゅう) |
| | | なら・う | |
| 10 | 集 | シュウ | 集会(しゅうかい)　集金(しゅうきん)　集合(しゅうごう)　集中(しゅうちゅう) |
| | | あつ・まる | |
| | | あつ・める | |
| 11 | 進 | シン | 進学(しんがく)　進歩(しんぽ)　前進(ぜんしん) |
| | | すす・む | |
| | | すす・める | |
| 12 | 寝 | シン | 寝室(しんしつ) |
| | | ね・る | |
| 13 | 洗 | セン | 洗面所(せんめんじょ) |
| | | あら・う | |
| 14 | 待 | タイ | 期待(きたい) |
| | | ま・つ | |
| 15 | 売 | バイ | 売店(ばいてん)　特売(とくばい)　発売(はつばい) |
| | | う・る | |
| 16 | 復 | フク | 復習(ふくしゅう) |
| 17 | 歩 | ホ | 歩道(ほどう)　横断歩道(おうだんほどう)　進歩(しんぽ) |
| | | ある・く | |
| 18 | 練 | レン | 練習(れんしゅう) |

歌手　Singer　歌手
開会（する）　Open a meeting　开会
開始（する）　Start, begin　开始
帰国（する）　Return to homeland　回国
帰宅（する）　Go home　回家
禁止（する）　Prohibit, ban　禁止
参考　Reference　参考
不思議　Peculiar, odd　不可思议
学習（する）　Study　学习
自習（する）　Teach oneself, do self-study　自习
実習（する）　Practice, do practical training or apprenticeship　实习
予習（する）　Do preparatory study　预习
集会　Rally, gather for a meeting　集会
集金（する）　Collect, raise (funds)　收钱
集合（する）　Gather, assemble　集合
集中（する）　Concentrate, focus　集中
進学（する）　Progress to (higher-level college)　升学
進歩（する）　Progress, get better　进步
前進（する）　Progress, advance, go forward　前进
寝室　Bedroom　寝室
洗面所　Washroom, lavatory　洗手间
期待（する）　Hope, expect　期待
売店　Shop, stall　小卖店
特売（する）　Sale　促销
発売（する）　Release, launch　开始销售
歩道　Sidewalk　人行道
横断歩道　Pedestrian crossing　人行横道

# 第18回　新しく音読みを覚える漢字：名詞や形容詞

| No. | 漢字 | 読み方 | 言葉 |
|---|---|---|---|
| 1 | 海 | カイ | 海外（かいがい） |
| | | うみ | |
| 2 | 左 | サ | 左右（さゆう） |
| | | ひだり | |
| 3 | 紙 | シ | 表紙（ひょうし）　用紙（ようし） |
| | | かみ | |
| 4 | 次 | ジ | 次女（じじょ）　目次（もくじ） |
| | | つぎ | |
| 5 | 首 | シュ | 首都（しゅと） |
| | | くび | |
| 6 | 少 | ショウ | 少女（しょうじょ）　少々（しょうしょう）<br>少年（しょうねん） |
| | | すく・ない | |
| | | すこ・し | |
| 7 | 色 | ショク | 特色（とくしょく） |
| | | いろ | |
| 8 | 森 | シン | 森林（しんりん） |
| | | もり | |
| 9 | 青 | セイ | 青年（せいねん） |
| | | あお | |
| 10 | 池 | チ | 電池（でんち） |
| | | いけ | |
| 11 | 昼 | チュウ | 昼食（ちゅうしょく） |
| | | ひる | |
| 12 | 朝 | チョウ | 朝食（ちょうしょく） |
| | | あさ | |
| 13 | 低 | テイ | 低下（ていか）<br>最低（さいてい）（な） |
| | | ひく・い | |
| 14 | 同 | ドウ | 同時（どうじ） |
| | | おな・じ | |
| 15 | 父 | フ | 父母（ふぼ） |
| | | ちち | |
| 16 | 母 | ボ | 父母（ふぼ） |
| | | はは | |
| 17 | 目 | モク | 目次（もくじ）　目的（もくてき）<br>科目（かもく）　注目（ちゅうもく） |
| | | め | |
| 18 | 右 | ユウ | 左右（さゆう） |
| | | みぎ | |
| 19 | 林 | リン | 森林（しんりん） |
| | | はやし | |

海外　Abroad　海外
左右　From side to side, left and right　左右
表紙　Cover, front (page)　封面
用紙　Paper, form (to be filled out)　特定用途、特定规格的纸张
次女　Second daughter, second-eldest (-oldest) daughter　二女儿
目次　Contents, index　目录
首都　Capital (city)　首都
少女　Girl　少女
少々　Somewhat　稍微
少年　Boy　少年
特色　Feature, characteristic　特色
森林　Forest, woodland　森林
青年　Youths, young people　青年
電池　Battery　电池
昼食　Lunch, midday meal　午饭
朝食　Breakfast　早饭
低下（する）　Decrease, go down　降低
最低　Lowest, minimum　最差
同時　Simultaneous　同时
父母　Parents　父母
目的　Purpose, object　目的
科目　Subject (at school), topic　科目
注目（する）　Pay attention to　关注

# 第19回　音読みと訓読みを覚える新しい漢字：動詞

| No. | 漢字 | 読み方 | 言葉 |
|---|---|---|---|
| 1 | 移 | イ | 移動 |
| | | うつ・る | 移る |
| | | うつ・す | 移す（他） |
| 2 | 違 | イ | 違反 |
| | | ちが・う | 違う　違い<br>間違い<br>間違う（自・他） |
| | | ちが・える | 間違える（他） |
| 3 | 育 | イク | 教育　体育<br>保育所 |
| | | そだ・つ | 育つ |
| | | そだ・てる | 育てる（他） |
| 4 | 慣 | カン | 習慣 |
| | | な・れる | 慣れる |
| 5 | 曲 | キョク | 曲　曲線　作曲 |
| | | ま・がる | 曲がる |
| | | ま・げる | 曲げる（他） |
| 6 | 残 | ザン | 残業　残念（な） |
| | | のこ・る | 残る |
| | | のこ・す | 残す（他） |
| 7 | 受 | ジュ | 受験　受信 |
| | | う・ける | 受ける（他）<br>受付<br>受け付ける（他）<br>受け取る（他）<br>引き受ける（他） |
| | | う・かる | 受かる |
| 8 | 植 | ショク | 植物 |
| | | う・える | 植える（他） |
| 9 | 震 | シン | 震度　地震 |
| | | ふる・える | 震える |

| No. | 漢字 | 読み方 | 言葉 |
|---|---|---|---|
| 10 | 地 | チ | |
| | | ジ | 地震　地味（な） |
| 11 | 調 | チョウ | 調査　調味料 |
| | | しら・べる | 調べる（他） |
| 12 | 配 | ハイ | 配達　心配（な） |
| | | くば・る | 配る（他） |
| 13 | 変 | ヘン | 変（な）　変化 |
| | | か・わる | 変わる |
| | | か・える | 変える（他） |
| 14 | 訪 | ホウ | 訪問 |
| | | たず・ねる | 訪ねる（他） |
| 15 | 防 | ボウ | 防止　予防 |
| | | ふせ・ぐ | 防ぐ（他） |
| 16 | 預 | ヨ | 預金 |
| | | あず・ける | 預ける（他） |
| | | あず・かる | 預かる（他） |
| 17 | 流 | リュウ | 流行　交流 |
| | | なが・れる | 流れる |
| | | なが・す | 流す（他） |
| 18 | 量 | リョウ | 量　大量 |
| | | はか・る | 量る（他） |

移動（する）　Move, migrate　移动
移す　Move, remove, transfer　转移
違反（する）　Violate, break (a rule)　违反
違い　Difference, discrepancy　差异
間違い　Mistake, error　错误
間違う　Be wrong, get it wrong　弄错
体育　Physical education　体育
保育所　Childcare center, nursery　儿童福利院
育つ　Grow, be raised　成长
育てる　Raise (children), grow (plants)　养育
曲　Song, tune　曲调
曲線　Curve　曲线
作曲（する）　Compose (music)　作曲
曲げる　Bend, curve　弯曲
残業（する）　Do overtime　加班
残す　Leave, hand down　保留
受験（する）　Take test or exam　参加考试
受信（する）　Receive (signal, message)　接收（信息、邮件等）
受け付ける　Accept, admit　受理
受け取る　Receive, take　收取
引き受ける　Undertake, enter into an undertaking, assume　接受
受かる　Pass, be accepted　考试通过
植物　Plant, vegetation　植物
震度　Seismic intensity　震度
震える　Shake, tremble　颤抖
地味　Plain, simple　朴素
調査（する）　Investigate, carry out survey　调查
調味料　Seasoning, flavoring　调味料
配達（する）　Deliver　寄送
変化（する）　Change, alter, modify　变化
訪問（する）　Visit, call on　拜访
防止（する）　Prevent, deter, stop　防止
予防（する）　Prevent, forestall, take precaution　预防
防ぐ　Prevent, ward off　预防
預金（する）　Put into a deposit account, deposit money　银行存款
預ける　Entrust, deposit　保管
預かる　Take charge of, keep something for someone　替别人保管、照顾
流行（する）　Be popular, be in vogue　流行
交流（する）　Alternate, interact　交流
流れる　Flow, run, circulate　流动
流す　Cause to flow, run, circulate　使…流动
量　Amount, quantity　量
大量　Large amount　大量
量る　Weigh, measure　测量

# 第20回　音読みと訓読みを覚える新しい漢字：名詞や形容詞

| No. | 漢字 | 読み方 | 言葉 |
|---|---|---|---|
| 1 | 確 | カク | 確実（かくじつ）(な)<br>正確（せいかく）(な) |
| | | たし・か | 確（たし）か(な) |
| | | たし・かめる | 確（たし）かめる(他) |
| 2 | 求 | キュウ | 要求（ようきゅう） |
| 3 | 級 | キュウ | 初級（しょきゅう） |
| 4 | 橋 | キョウ | 歩道橋（ほどうきょう） |
| | | はし | 橋（はし） |
| 5 | 種 | シュ | 種類（しゅるい） |
| | | たね | 種（たね） |
| 6 | 初 | ショ | 初級（しょきゅう）　最初（さいしょ） |
| | | はじ・め | 初（はじ）め |
| | | はじ・めて | 初（はじ）めて |
| 7 | 正 | セイ | 正確（せいかく）(な) |
| | | ショウ | |
| | | ただ・しい | |
| 8 | 深 | シン | 深夜（しんや） |
| | | ふか・い | 深（ふか）い |
| 9 | 頭 | ズ | 頭痛（ずつう） |
| | | あたま | |
| 10 | 痛 | ツウ | 頭痛（ずつう） |
| | | いた・い | 痛（いた）い |
| 11 | 熱 | ネツ | 熱（ねつ）　熱心（ねっしん）(な)<br>平熱（へいねつ） |
| | | あつ・い | 熱（あつ）い |
| 12 | 必 | ヒツ | 必要（ひつよう）(な) |
| | | かなら・ず | 必（かなら）ず |
| 13 | 要 | ヨウ | 要求（ようきゅう）<br>必要（ひつよう）(な) |
| | | い・る | 要（い）る |
| 14 | 例 | レイ | 例（れい）　例外（れいがい） |
| | | たと・える | 例（たと）えば |

確実　Certain, definite　**确实**
正確　Accurate　**正确**
確かめる　Ascertain, confirm　**确认、核实**
要求(する)　Request, demand, claim　**要求**
初級　Primary, elementary　**初级**
歩道橋　Footbridge　**人行天桥**
種類　Type, kind　**种类**
種　Seed　**种子**
初め　Beginning, start　**初始**
深夜　Late at night　**深夜**
頭痛　Headache　**头痛**
平熱　Normal temperature　**正常体温**
例　Example　**例子**
例外　Exception　**例外**

# 第5部　たくさんの読み方がある漢字

## 第21回　二つ以上の訓読みを覚える漢字

| No. | 漢字 | 読み方 | 言葉 |
|---|---|---|---|
| 1 | 遅 | おく・れる | 遅れる |
| | | おそ・い | 遅い |
| 2 | 覚 | おぼ・える | 覚える（他） |
| | | さ・ます | 覚ます（他） |
| | | さ・める | 覚める |
| 3 | 降 | お・りる | 降りる |
| | | ふ・る | 降る |
| 4 | 空 | クウ | |
| | | そら | |
| | | あ・く | |
| | | あ・ける | |
| | | から | 空 |
| 5 | 彼 | かれ | 彼 |
| | | かの | 彼女 |
| 6 | 転 | テン | |
| | | ころ・がる | 転がる |
| | | ころ・がす | 転がす（他） |
| | | ころ・ぶ | 転ぶ |
| 7 | 冷 | つめ・たい | 冷たい |
| | | ひ・える | 冷える |
| | | ひ・やす | 冷やす（他） |
| | | さ・める | 冷める |
| | | さ・ます | 冷ます（他） |
| 8 | 閉 | と・じる | 閉じる（他） |
| | | し・める | 閉める（他） |
| | | し・まる | 閉まる |

| No. | 漢字 | 読み方 | 言葉 |
|---|---|---|---|
| 9 | 上 | ジョウ | |
| | | うえ | |
| | | うわ | |
| | | あ・げる | |
| | | あ・がる | |
| | | のぼ・る | 上り |
| 10 | 生 | セイ | |
| | | い・きる | |
| | | うま・れる | |
| | | は・える | 生える |
| | | なま | 生 |
| 11 | 細 | ほそ・い | 細い　細長い |
| | | こま・かい | 細かい |
| 12 | 夜 | ヤ | |
| | | よ | 夜中 |
| | | よる | |
| 13 | 汚 | よ・ごす | 汚す（他） |
| | | よご・れる | 汚れる |
| | | きたな・い | 汚い |
| 14 | 割 | わ・る | 割る（他）<br>割り算 |
| | | わり | 割合　割引<br>学割 |
| | | わ・れる | 割れる |

覚ます　Wake, awaken　唤醒
覚める　Wake up, be roused by　睡醒
空　Empty　空的
転がる　Turn over, roll　摔倒
転がす　Cause to roll　转动
転ぶ　Fall down, trip over　跌倒
冷やす　Cool down, chill　使…冷却
冷める　Cool, grow cold　冷却
冷ます　Cool down, chill from heated state　使…冷却、冷淡
閉じる　Close, shut　关闭
上り　Up (train)　上行
生える　Grow, come out　生长
生　Raw　生鲜
細長い　Narrow and thin, elongated　细长
細かい　Fine, delicate　细微
夜中　Middle of the night　夜间
汚す　Make dirty, besmirch　玷污
割る　Break, snap　分割
割り算　Division　除法
割合　Percentage, proportion　比例
割引（する）　Offer discount, reduce price　打折
学割　Student discount　学生折扣

# 第22回　二つめの音読みを覚える漢字

| No. | 漢字 | 読み方 | 言葉 |
|---|---|---|---|
| 1 | 楽 | ガク | |
| | | ラク | 楽(らく)(な) |
| | | たの・しい | |
| 2 | 間 | カン | |
| | | ケン | 人間(にんげん) |
| | | あいだ | |
| | | ま | |
| 3 | 去 | キョ | |
| | | コ | 過去(かこ) |
| 4 | 工 | コウ | |
| | | ク | 工夫(くふう)　大工(だいく) |
| 5 | 作 | サク | |
| | | サ | 作業(さぎょう)　副作用(ふくさよう) |
| | | つく・る | |
| 6 | 自 | ジ | |
| | | シ | 自然(しぜん)(な) |
| 7 | 男 | ダン | |
| | | ナン | 次男(じなん)　長男(ちょうなん) |
| | | おとこ | |
| 8 | 荷 | に | 荷物(にもつ) |
| 9 | 日 | ニチ | |
| | | ジツ | 休日(きゅうじつ)　先日(せんじつ)　当日(とうじつ)　平日(へいじつ)　本日(ほんじつ) |
| | | ひ | |
| | | か | |
| 10 | 物 | ブツ | |
| | | モツ | 荷物(にもつ) |
| | | もの | |
| 11 | 文 | ブン | |
| | | モン | 文字(もんじ／もじ)　注文(ちゅうもん) |
| 12 | 便 | ベン | |
| | | ビン | 便(びん)　宅配便(たくはいびん)　郵便(ゆうびん)　郵便局(ゆうびんきょく) |
| 13 | 郵 | ユウ | 郵便(ゆうびん)　郵便局(ゆうびんきょく) |

楽　Comfortable, easy, not demanding　轻松
人間　Human　人
過去　Past　过去
工夫（する）　Rack one's brains to do something, be inventive in　想办法
大工　Carpenter　木匠
作業（する）　Work　工作
副作用　Side-effect　副作用
自然　Nature　自然
次男　Second son, second-eldest (-oldest) son　二儿子
長男　Eldest (oldest) son　长子
休日　One-day holiday, day off　节假日
先日　The other day　前些天
当日　This day, the day in question　当天
平日　Weekday　平时
本日　Today　今日
文字　Character, letter　文字
注文（する）　Order　订货
便　Flight　航班
宅配便　Home delivery, door-to-door delivery (service)　宅急送
郵便　Postal service, mail　邮政

# 第23回　二つの音読みを覚える新しい漢字

| No. | 漢字 | 読み方 | 言葉 |
|---|---|---|---|
| 1 | 規 | キ | 規則（きそく）<br>不規則（ふきそく）（な）<br>定規（じょうぎ） |
| 2 | 券 | ケン | 券（けん）　定期券（ていきけん）<br>旅券（りょけん） |
| 3 | 再 | サイ | 再（さい）〜 |
|  |  | サ | 再来月（さらいげつ）<br>再来週（さらいしゅう）<br>再来年（さらいねん） |
| 4 | 則 | ソク | 規則（きそく）<br>不規則（ふきそく）（な） |
| 5 | 定 | テイ | 定員（ていいん）　定価（ていか）<br>定期（ていき）　定期券（ていきけん）<br>定休日（ていきゅうび）　定食（ていしょく）<br>決定（けってい）　予定（よてい） |
|  |  | ジョウ | 定規（じょうぎ） |
| 6 | 判 | ハン | 判（はん）こ　判断（はんだん） |
|  |  | バン | 評判（ひょうばん） |
| 7 | 評 | ヒョウ | 評判（ひょうばん） |
| 8 | 由 | ユ | 経由（けいゆ） |
|  |  | ユウ | 自由（じゆう）（な）<br>理由（りゆう） |

不規則　Irregularity, disorder　不规则
定規　Ruler　圆规
券　Ticket　门票
定期券　Season ticket　月票
旅券　Passport　护照
再〜　Re-, particle indicating repetition of an action　重新…
定員　Capacity, maximum number of passengers　某个单位的编制人数或车辆等的核定搭载人数
定価　Catalogue price　定价
定期　Season (ticket)　月票
定休日　Regular holiday, day off　固定休息日
定食　Set meal, set menu　套餐
決定（する）　Decide　决定
判こ　Stamp, seal　印章
判断（する）　Judge, deem　判断
評判　Reputation　口碑
経由（する）　Go via, go through　经由

# 第24回　三つ以上の読み方を覚える漢字（1）

| No. | 漢字 | 読み方 | 言葉 |
|---|---|---|---|
| 1 | 下 | カ | |
| | | ゲ | 下宿（げしゅく） |
| | | した | |
| | | さ・げる | |
| | | さ・がる | |
| | | くだ・る | 下り（くだり） |
| | | くだ・さる | |
| | | お・ろす | |
| | | お・りる | |
| 2 | 菓 | カ | （お）菓子（かし） |
| 3 | 外 | ガイ | |
| | | ゲ | 外科（げか） |
| | | そと | |
| | | ほか | |
| | | はず・す | 外す（はずす）（他） |
| | | はず・れる | 外れる（はずれる） |
| 4 | 言 | ゲン | 発言（はつげん）　方言（ほうげん） |
| | | ゴン | 伝言（でんごん） |
| | | い・う | |
| | | こと | 言葉（ことば） |
| 5 | 後 | ゴ | |
| | | コウ | 後半（こうはん） |
| | | のち | 後（のち） |
| | | うしろ | |
| | | あと | |
| 6 | 行 | コウ | |
| | | ギョウ | 行事（ぎょうじ） |
| | | い・く | |
| | | おこな・う | 行う（おこなう）（他） |
| 7 | 子 | シ | （お）菓子（かし）<br>女子（じょし）　男子（だんし）<br>調子（ちょうし）<br>電子（でんし）レンジ |
| | | ス | 様子（ようす） |
| | | こ | |
| 8 | 重 | ジュウ | 重大（じゅうだい）（な）<br>重要（じゅうよう）（な）<br>体重（たいじゅう） |
| | | おも・い | |
| | | かさ・ねる | 重ねる（かさねる）（他） |
| | | かさ・なる | 重なる（かさなる） |
| 9 | 伝 | デン | 伝言（でんごん） |
| | | つた・わる | 伝わる（つたわる） |
| | | つた・える | 伝える（つたえる）（他） |
| 10 | 土 | ド | |
| | | ト | 土地（とち） |
| | | つち | 土（つち） |
| 11 | 度 | ド | |
| | | タク | 支度（したく） |
| | | たび | 度々（たびたび） |
| 12 | 様 | ヨウ | 様子（ようす） |
| | | さま | ～様（さま）<br>様々（さまざま）（な）<br>王様（おうさま） |

下り　Down (train)　下行
外科　Surgery　外科
外す　Remove　摘掉
外れる　Be off; be wrong　脱落；（预测）不准
発言（する）　Speak out, announce, remark　发言
方言　Dialect　方言
伝言（する）　Pass on a message　留言
言葉　Word　语言
後半　Second half　后半
後　Afterward, later　后来
行事　Event, festivity　活动
行う　Carry out, do　举行
女子　Girl　女子
男子　Boy　男子
調子　Condition, state　状况
電子レンジ　Microwave　微波炉
様子　Aspect, appearance　外表、情形
重大　Major, severe　重大
重要　Important, significant　重要
体重　Body weight　体重
重ねる　Repeat, pile up　重复
重なる　Overlap　重叠
伝わる　Reach, spread　传播
土地　Land　土地
土　Soil, earth　土壤
支度　Preparations　准备
度々　Often, frequently　多次
様々　Various　各种各样
王様　King　国王

# 第25回　三つ以上の読み方を覚える漢字（2）

| No. | 漢字 | 読み方 | 言葉 |
|---|---|---|---|
| 1 | 苦 | ク | 苦労（くろう） |
| | | くる・しい | 苦しい（くるしい）　苦しむ（くるしむ） |
| | | にが・い | 苦い（にがい）　苦手（にがて）（な） |
| 2 | 形 | ケイ | 三角形（さんかくけい） |
| | | ギョウ | 人形（にんぎょう） |
| | | かたち | 形（かたち） |
| 3 | 指 | シ | 指示（しじ） |
| | | ゆび | 指（ゆび） |
| | | さ・す | 指す（さす）（他）　目指す（めざす）（他） |
| 4 | 示 | ジ | 指示（しじ） |
| 5 | 消 | ショウ | 消火器（しょうかき）　消費（しょうひ） |
| | | き・える | 消える（きえる） |
| | | け・す | 消す（けす）（他） |
| 6 | 神 | シン | 神経（しんけい） |
| | | ジン | 神社（じんじゃ） |
| | | かみ | 神（かみ）　神様（かみさま） |
| 7 | 守 | ス | 留守（るす）　留守番（るすばん） |
| | | まも・る | 守る（まもる）（他） |
| 8 | 数 | スウ | 数学（すうがく）　数字（すうじ）　回数券（かいすうけん）　点数（てんすう） |
| | | かず | 数（かず） |
| | | かぞ・える | 数える（かぞえる）（他） |
| 9 | 相 | ソウ | 相談（そうだん） |
| | | ショウ | 首相（しゅしょう） |
| | | あい | 相手（あいて） |
| 10 | 談 | ダン | 相談（そうだん） |

| No. | 漢字 | 読み方 | 言葉 |
|---|---|---|---|
| 11 | 無 | ム | 無理（むり）（な）　無料（むりょう） |
| | | ブ | 無事（ぶじ）（な） |
| | | な・い | 無い（ない）　無くす（なくす）（他）　無くなる（なくなる） |
| 12 | 留 | リュウ | 留学（りゅうがく）　留学生（りゅうがくせい） |
| | | ル | 留守（るす）　留守番（るすばん） |
| | | と・める | 書留（かきとめ） |

苦労　Hardship, hard work　辛苦
苦しい　Painful, constricted　难受
苦しむ　Suffer　痛苦
苦手　Weak at, not good at　不擅长
三角形　Triangle　三角形
指示（する）　Instruct, direct　指示、命令
指す　Point out　指向
目指す　Aim at, target, go toward　以…为目标
消火器　Fire extinguisher　灭火器
消費（する）　Consume, spend　消费
神経　Nerves　神经
神　God, deity　神
神様　God　神
留守番　Mind somewhere during owner absence　看门、留守
守る　Protect; keep (promise)　保护；遵守
回数券　Coupon set, book of tickets　次数票
点数　Points, score　分数
数　Number　数量
数える　Count　数
首相　Prime minister　首相
相手　The other side, the other person, opponent　对方
無料　Free of charge　免费
無事　Safe, unharmed　平安无事
留学（する）　Study abroad　留学
書留　Registered mail　挂号信

# N５・N４レベルの300字の漢字とその読み方

| | No. | 漢字 | 読み方 | 言葉の例 |
|---|---|---|---|---|
| ☐ | 1 | 悪 | わるい | 悪(わる)い |
| ☐ | 2 | 安 | アン | 安心(あんしん) |
| ☐ | | | やすい | 安(やす)い |
| ☐ | 3 | 暗 | くらい | 暗(くら)い |
| ☐ | 4 | 以 | イ | 以下(いか) |
| ☐ | 5 | 医 | イ | 医者(いしゃ) |
| ☐ | 6 | 意 | イ | 意見(いけん) |
| ☐ | 7 | 一 | イチ | 一(いち) |
| ☐ | | | ひと | 一月(ひとつき) |
| ☐ | | | ひとつ | 一(ひと)つ |
| ☐ | 8 | 引 | ひく | 引(ひ)く |
| ☐ | 9 | 員 | イン | 店員(てんいん) |
| ☐ | 10 | 院 | イン | 病院(びょういん) |
| ☐ | 11 | 飲 | のむ | 飲(の)む |
| ☐ | 12 | 右 | みぎ | 右(みぎ) |
| ☐ | 13 | 雨 | あめ | 雨(あめ) |
| ☐ | 14 | 運 | ウン | 運動(うんどう) |
| ☐ | | | はこぶ | 運(はこ)ぶ |
| ☐ | 15 | 英 | エイ | 英語(えいご) |
| ☐ | 16 | 映 | エイ | 映画(えいが) |
| ☐ | 17 | 駅 | エキ | 駅(えき) |
| ☐ | 18 | 円 | エン | ～円(えん) |
| ☐ | 19 | 園 | エン | 動物園(どうぶつえん) |
| ☐ | 20 | 遠 | とおい | 遠(とお)い |
| ☐ | 21 | 屋 | オク | 屋上(おくじょう) |
| ☐ | | | や | ～屋(や) |
| ☐ | 22 | 音 | オン | 音楽(おんがく) |
| ☐ | | | おと | 音(おと) |
| ☐ | 23 | 下 | カ | 以下(いか) |
| ☐ | | | した | 下(した) |
| ☐ | | | さげる | 下(さ)げる |
| ☐ | | | さがる | 下(さ)がる |
| ☐ | | | くださる | 下(くだ)さる |
| ☐ | | | おろす | 下(お)ろす |
| ☐ | | | おりる | 下(お)りる |
| ☐ | 24 | 火 | カ | 火事(かじ) |
| ☐ | | | ひ | 火(ひ) |
| ☐ | 25 | 何 | なに | 何(なに) |
| ☐ | | | なん | 何(なん)～ |
| ☐ | 26 | 花 | はな | 花(はな) |
| ☐ | 27 | 科 | カ | 科学(かがく) |
| ☐ | 28 | 夏 | なつ | 夏(なつ) |
| ☐ | 29 | 家 | カ | 家族(かぞく) |
| ☐ | | | いえ | 家(いえ) |
| ☐ | 30 | 歌 | うた | 歌(うた) |
| ☐ | | | うたう | 歌(うた)う |
| ☐ | 31 | 画 | ガ | 映画(えいが) |
| ☐ | | | カク | 計画(けいかく) |
| ☐ | 32 | 回 | カイ | ～回(かい) |
| ☐ | | | まわる | 回(まわ)る |
| ☐ | | | まわす | 回(まわ)す |
| ☐ | 33 | 会 | カイ | 会社(かいしゃ) |
| ☐ | | | あう | 会(あ)う |
| ☐ | 34 | 海 | うみ | 海(うみ) |
| ☐ | 35 | 界 | カイ | 世界(せかい) |

| | No. | かんじ<br>漢字 | よ かた<br>読み方 | ことば れい<br>言葉の例 |
|---|---|---|---|---|
| ☐ | 36 | 開 | ひらく | ひら<br>開く |
| ☐ | | | あく | あ<br>開く |
| ☐ | | | あける | あ<br>開ける |
| ☐ | 37 | 外 | ガイ | がいこく<br>外国 |
| ☐ | | | そと | そと<br>外 |
| ☐ | | | ほか | ほか<br>外 |
| ☐ | 38 | 学 | ガク | だいがく<br>大学 |
| ☐ | 39 | 楽 | ガク | おんがく<br>音楽 |
| ☐ | | | たのしい | たの<br>楽しい |
| ☐ | 40 | 寒 | さむい | さむ<br>寒い |
| ☐ | 41 | 間 | カン | じ かん<br>時間 |
| ☐ | | | あいだ | あいだ<br>間 |
| ☐ | | | ま | ま あ<br>間に合う |
| ☐ | 42 | 漢 | カン | かん じ<br>漢字 |
| ☐ | 43 | 館 | カン | と しょかん<br>図書館 |
| ☐ | 44 | 顔 | かお | かお<br>顔 |
| ☐ | 45 | 危 | キ | き けん<br>危険 |
| ☐ | | | あぶない | あぶ<br>危ない |
| ☐ | 46 | 気 | キ | げん き<br>元気 |
| ☐ | 47 | 起 | おきる | お<br>起きる |
| ☐ | | | おこす | お<br>起こす |
| ☐ | 48 | 帰 | かえる | かえ<br>帰る |
| ☐ | | | かえす | かえ<br>帰す |
| ☐ | 49 | 九 | キュウ | きゅう<br>九 |
| ☐ | | | ク | く<br>九 |
| ☐ | | | ここの | ここの か<br>九日 |
| ☐ | | | ここのつ | ここの<br>九つ |
| ☐ | 50 | 休 | やすむ | やす<br>休む |
| ☐ | 51 | 究 | キュウ | けんきゅう<br>研究 |
| ☐ | 52 | 急 | キュウ | とっきゅう<br>特急 |
| ☐ | | | いそぐ | いそ<br>急ぐ |

| | No. | かんじ<br>漢字 | よ かた<br>読み方 | ことば れい<br>言葉の例 |
|---|---|---|---|---|
| ☐ | 53 | 牛 | ギュウ | ぎゅうにく<br>牛肉 |
| ☐ | | | うし | うし<br>牛 |
| ☐ | 54 | 去 | キョ | きょねん<br>去年 |
| ☐ | 55 | 魚 | さかな | さかな<br>魚 |
| ☐ | 56 | 京 | キョウ | とうきょう<br>東京 |
| ☐ | 57 | 強 | キョウ | べんきょう<br>勉強 |
| ☐ | | | つよい | つよ<br>強い |
| ☐ | 58 | 教 | キョウ | きょうしつ<br>教室 |
| ☐ | | | おしえる | おし<br>教える |
| ☐ | 59 | 業 | ギョウ | こうぎょう<br>工業 |
| ☐ | 60 | 近 | キン | きんじょ<br>近所 |
| ☐ | | | ちかい | ちか<br>近い |
| ☐ | 61 | 金 | キン | きんよう び<br>金曜日 |
| ☐ | | | かね | かね<br>お金 |
| ☐ | 62 | 銀 | ギン | ぎんこう<br>銀行 |
| ☐ | 63 | 区 | ク | く<br>～区 |
| ☐ | 64 | 空 | クウ | くう き<br>空気 |
| ☐ | | | そら | そら<br>空 |
| ☐ | | | あく | あ<br>空く |
| ☐ | | | あける | あ<br>空ける |
| ☐ | 65 | 兄 | キョウ | きょうだい<br>兄弟 |
| ☐ | | | あに | あに<br>兄 |
| ☐ | 66 | 計 | ケイ | けいかく<br>計画 |
| ☐ | 67 | 軽 | かるい | かる<br>軽い |
| ☐ | 68 | 月 | ゲツ | こんげつ<br>今月 |
| ☐ | | | ガツ | がつ<br>～月 |
| ☐ | | | つき | まいつき<br>毎月 |
| ☐ | 69 | 犬 | いぬ | いぬ<br>犬 |

|  | No. | 漢字（かんじ） | 読み方（よみかた） | 言葉の例（ことばのれい） |
|---|---|---|---|---|
| □ | 70 | 見 | ケン | 見物（けんぶつ） |
| □ |  |  | みる | 見（み）る |
| □ |  |  | みえる | 見（み）える |
| □ |  |  | みせる | 見（み）せる |
| □ | 71 | 建 | たてる | 建物（たてもの） |
| □ |  |  | たつ | 建（た）つ |
| □ | 72 | 研 | ケン | 研究（けんきゅう） |
| □ | 73 | 県 | ケン | 県（けん） |
| □ | 74 | 険 | ケン | 危険（きけん） |
| □ | 75 | 験 | ケン | 試験（しけん） |
| □ | 76 | 元 | ゲン | 元気（げんき） |
| □ | 77 | 言 | いう | 言（い）う |
| □ | 78 | 古 | ふるい | 古（ふる）い |
| □ | 79 | 五 | ゴ | 五（ご） |
| □ |  |  | いつ | 五日（いつか） |
| □ |  |  | いつつ | 五（いつ）つ |
| □ | 80 | 午 | ゴ | 午前（ごぜん） |
| □ | 81 | 後 | ゴ | 午後（ごご） |
| □ |  |  | うしろ | 後（うし）ろ |
| □ |  |  | あと | 後（あと） |
| □ | 82 | 語 | ゴ | 〜語（ご）　英語（えいご） |
| □ | 83 | 口 | コウ | 人口（じんこう） |
| □ |  |  | くち | 口（くち） |
| □ | 84 | 工 | コウ | 工業（こうぎょう） |
| □ | 85 | 広 | ひろい | 広（ひろ）い |
| □ | 86 | 交 | コウ | 交通（こうつう） |
| □ | 87 | 光 | ひかる | 光（ひか）る |
| □ |  |  | ひかり | 光（ひかり） |
| □ | 88 | 好 | すき | 好（す）き |
| □ | 89 | 考 | かんがえる | 考（かんが）える |
| □ | 90 | 行 | コウ | 旅行（りょこう） |
| □ |  |  | いく | 行（い）く |
| □ | 91 | 校 | コウ | 学校（がっこう） |
| □ | 92 | 高 | コウ | 高校（こうこう） |
| □ |  |  | たかい | 高（たか）い |
| □ | 93 | 号 | ゴウ | 番号（ばんごう） |
| □ | 94 | 合 | ゴウ | 都合（つごう） |
| □ |  |  | あう | 合（あ）う |
| □ | 95 | 国 | コク | 外国（がいこく） |
| □ |  |  | くに | 国（くに） |
| □ | 96 | 黒 | くろ | 黒（くろ） |
| □ |  |  | くろい | 黒（くろ）い |
| □ | 97 | 今 | コン | 今月（こんげつ） |
| □ |  |  | いま | 今（いま） |
| □ | 98 | 左 | ひだり | 左（ひだり） |
| □ | 99 | 菜 | サイ | 野菜（やさい） |
| □ | 100 | 作 | サク | 作文（さくぶん） |
| □ |  |  | つくる | 作（つく）る |
| □ | 101 | 三 | サン | 三（さん） |
| □ |  |  | みっつ | 三（みっ）つ |
| □ | 102 | 山 | やま | 山（やま） |
| □ | 103 | 産 | サン | 生産（せいさん） |
| □ | 104 | 子 | こ | 子（こ） |
| □ | 105 | 止 | とまる | 止（と）まる |
| □ |  |  | とめる | 止（と）める |
| □ | 106 | 氏 | シ | 氏名（しめい） |
| □ | 107 | 仕 | シ | 仕事（しごと） |
| □ | 108 | 四 | シ | 四（し） |
| □ |  |  | よっつ | 四（よっ）つ |
| □ |  |  | よん | 四（よん） |
| □ | 109 | 市 | シ | 市民（しみん） |

| | No. | 漢字 | 読み方 | 言葉の例 |
|---|---|---|---|---|
| ☐ | 110 | 死 | しぬ | 死ぬ |
| ☐ | 111 | 私 | わたくし | 私 |
| ☐ | | | わたし | 私 |
| ☐ | 112 | 使 | シ | 大使館 |
| ☐ | | | つかう | 使う |
| ☐ | 113 | 始 | はじめる | 始める |
| ☐ | | | はじまる | 始まる |
| ☐ | 114 | 姉 | あね | 姉 |
| ☐ | 115 | 思 | おもう | 思う |
| ☐ | 116 | 紙 | かみ | 手紙 |
| ☐ | 117 | 試 | シ | 試験 |
| ☐ | 118 | 字 | ジ | 漢字 |
| ☐ | 119 | 次 | つぎ | 次 |
| ☐ | 120 | 耳 | みみ | 耳 |
| ☐ | 121 | 自 | ジ | 自転車 |
| ☐ | 122 | 事 | ジ | 食事 |
| ☐ | | | こと | 事　仕事 |
| ☐ | 123 | 持 | もつ | 持つ |
| ☐ | 124 | 時 | ジ | 時間 |
| ☐ | | | とき | 時　時々 |
| ☐ | 125 | 七 | シチ | 七 |
| ☐ | | | ななつ | 七つ |
| ☐ | | | なの | 七日 |
| ☐ | 126 | 室 | シツ | 教室 |
| ☐ | 127 | 質 | シツ | 質問 |
| ☐ | 128 | 写 | シャ | 写真 |
| ☐ | | | うつす | 写す |
| ☐ | 129 | 社 | シャ | 社会 |
| ☐ | 130 | 車 | シャ | 自転車 |
| ☐ | | | くるま | 車 |
| ☐ | 131 | 者 | シャ | 医者 |
| ☐ | 132 | 借 | かりる | 借りる |
| ☐ | 133 | 弱 | よわい | 弱い |
| ☐ | 134 | 手 | シュ | 運転手 |
| ☐ | | | て | 手 |
| ☐ | 135 | 主 | シュ | (ご)主人 |
| ☐ | 136 | 取 | とる | 取る |
| ☐ | 137 | 首 | くび | 首 |
| ☐ | 138 | 秋 | あき | 秋 |
| ☐ | 139 | 終 | おわる | 終わる |
| ☐ | 140 | 習 | ならう | 習う |
| ☐ | 141 | 週 | シュウ | 今週 |
| ☐ | 142 | 集 | あつまる | 集まる |
| ☐ | | | あつめる | 集める |
| ☐ | 143 | 十 | ジュウ | 十 |
| ☐ | | | とお | 十　十日 |
| ☐ | 144 | 住 | ジュウ | 住所 |
| ☐ | | | すむ | 住む |
| ☐ | 145 | 重 | おもい | 重い |
| ☐ | 146 | 出 | シュツ | 出発 |
| ☐ | | | でる | 出る |
| ☐ | | | だす | 思い出す |
| ☐ | 147 | 春 | はる | 春 |
| ☐ | 148 | 所 | ショ | 住所 |
| ☐ | | | ところ | 所 |
| ☐ | 149 | 書 | ショ | 図書館 |
| ☐ | | | かく | 書く |
| ☐ | 150 | 暑 | あつい | 暑い |
| ☐ | 151 | 女 | おんな | 女 |
| ☐ | 152 | 小 | ショウ | 小学校 |
| ☐ | | | ちいさい | 小さい |
| ☐ | | | こ | 小鳥 |

| | No. | 漢字 | 読み方 | 言葉の例 |
|---|---|---|---|---|
| ☐ | 153 | 少 | すくない | 少(すく)ない |
| ☐ | | | すこし | 少(すこ)し |
| ☐ | 154 | 上 | ジョウ | 屋上(おくじょう) |
| ☐ | | | うえ | 上(うえ) |
| ☐ | | | うわ | 上着(うわぎ) |
| ☐ | | | あげる | 上(あ)げる |
| ☐ | | | あがる | 上(あ)がる |
| ☐ | 155 | 乗 | のる | 乗(の)る |
| ☐ | 156 | 場 | ジョウ | 会場(かいじょう) |
| ☐ | | | ば | 場所(ばしょ) |
| ☐ | 157 | 色 | いろ | 色(いろ) |
| ☐ | 158 | 食 | ショク | 食事(しょくじ) |
| ☐ | | | たべる | 食(た)べる |
| ☐ | 159 | 心 | シン | 心配(しんぱい) |
| ☐ | | | こころ | 心(こころ) |
| ☐ | 160 | 真 | シン | 写真(しゃしん) |
| ☐ | 161 | 進 | すすむ | 進(すす)む |
| ☐ | | | すすめる | 進(すす)める |
| ☐ | 162 | 森 | もり | 森(もり) |
| ☐ | 163 | 寝 | ねる | 寝(ね)る |
| ☐ | 164 | 新 | シン | 新聞(しんぶん) |
| ☐ | | | あたらしい | 新(あたら)しい |
| ☐ | 165 | 親 | シン | 親切(しんせつ) |
| ☐ | | | おや | 親(おや) |
| ☐ | 166 | 人 | ジン | 人口(じんこう) |
| ☐ | | | ニン | ～人(にん) |
| ☐ | | | ひと | 人(ひと) |
| ☐ | 167 | 図 | ズ | 地図(ちず) |
| ☐ | | | ト | 図書館(としょかん) |
| ☐ | 168 | 水 | スイ | 水道(すいどう) |
| ☐ | | | みず | 水(みず) |

| | No. | 漢字 | 読み方 | 言葉の例 |
|---|---|---|---|---|
| ☐ | 169 | 世 | セ | 世界(せかい) |
| ☐ | 170 | 正 | ショウ | 正月(しょうがつ) |
| ☐ | | | ただしい | 正(ただ)しい |
| ☐ | 171 | 生 | セイ | 学生(がくせい) |
| ☐ | | | いきる | 生(い)きる |
| ☐ | | | うまれる | 生(う)まれる |
| ☐ | 172 | 西 | セイ | 西洋(せいよう) |
| ☐ | | | にし | 西(にし) |
| ☐ | 173 | 声 | こえ | 声(こえ) |
| ☐ | 174 | 青 | あお | 青(あお)い |
| ☐ | 175 | 夕 | ゆう | 夕方(ゆうがた) |
| ☐ | 176 | 赤 | あか | 赤(あか)い |
| ☐ | 177 | 切 | セツ | 親切(しんせつ) |
| ☐ | | | きる | 切(き)る |
| ☐ | 178 | 説 | セツ | 説明(せつめい) |
| ☐ | 179 | 千 | セン | 千(せん) |
| ☐ | 180 | 川 | かわ | 川(かわ) |
| ☐ | 181 | 先 | セン | 先月(せんげつ) |
| ☐ | | | さき | 先(さき) |
| ☐ | 182 | 洗 | あらう | 洗(あら)う |
| ☐ | 183 | 全 | ゼン | 全部(ぜんぶ) |
| ☐ | | | まったく | 全(まった)く |
| ☐ | 184 | 前 | ゼン | 午前(ごぜん) |
| ☐ | | | まえ | 前(まえ) |
| ☐ | 185 | 早 | はやい | 早(はや)い |
| ☐ | 186 | 走 | はしる | 走(はし)る |
| ☐ | 187 | 送 | おくる | 送(おく)る |
| ☐ | 188 | 足 | あし | 足(あし) |
| ☐ | | | たりる | 足(た)りる |
| ☐ | | | たす | 足(た)す |
| ☐ | 189 | 族 | ゾク | 家族(かぞく) |

| | No. | 漢字（かんじ） | 読み方（よみかた） | 言葉の例（ことばのれい） |
|---|---|---|---|---|
| ☐ | 190 | 村 | むら | 村（むら） |
| ☐ | 191 | 多 | タ | 多分（たぶん） |
| ☐ | | | おおい | 多い（おおい） |
| ☐ | 192 | 太 | ふとい | 太い（ふとい） |
| ☐ | | | ふとる | 太る（ふとる） |
| ☐ | 193 | 体 | タイ | 大体（だいたい） |
| ☐ | | | からだ | 体（からだ） |
| ☐ | 194 | 待 | まつ | 待つ（まつ） |
| ☐ | 195 | 貸 | かす | 貸す（かす） |
| ☐ | 196 | 大 | ダイ | 大学（だいがく） |
| ☐ | | | タイ | 大切（たいせつ） |
| ☐ | | | おおきい | 大きい（おおきい） |
| ☐ | 197 | 代 | ダイ | 時代（じだい） |
| ☐ | | | かわる | 代わりに（かわりに） |
| ☐ | 198 | 台 | ダイ | 台所（だいどころ） |
| ☐ | | | タイ | 台風（たいふう） |
| ☐ | 199 | 題 | ダイ | 問題（もんだい） |
| ☐ | 200 | 短 | みじかい | 短い（みじかい） |
| ☐ | 201 | 男 | おとこ | 男（おとこ） |
| ☐ | 202 | 地 | チ | 地図（ちず） |
| ☐ | 203 | 池 | いけ | 池（いけ） |
| ☐ | 204 | 知 | しる | 知る（しる） |
| ☐ | 205 | 茶 | チャ | お茶（おちゃ） |
| ☐ | 206 | 着 | きる | 着る（きる） |
| ☐ | | | つく | 着く（つく） |
| ☐ | 207 | 中 | チュウ | 中学校（ちゅうがっこう） |
| ☐ | | | ジュウ | ～中（じゅう） |
| ☐ | | | なか | 中（なか） |
| ☐ | 208 | 注 | チュウ | 注意（ちゅうい） |
| ☐ | 209 | 昼 | ひる | 昼（ひる） |
| ☐ | 210 | 町 | チョウ | ～町（ちょう） |
| ☐ | | | まち | 町（まち） |
| ☐ | 211 | 長 | チョウ | 社長（しゃちょう） |
| ☐ | | | ながい | 長い（ながい） |
| ☐ | 212 | 鳥 | とり | 鳥（とり） |
| ☐ | 213 | 朝 | あさ | 朝（あさ） |
| ☐ | 214 | 通 | ツウ | 交通（こうつう） |
| ☐ | | | とおる | 通る（とおる） |
| ☐ | | | かよう | 通う（かよう） |
| ☐ | 215 | 低 | ひくい | 低い（ひくい） |
| ☐ | 216 | 弟 | ダイ | 兄弟（きょうだい） |
| ☐ | | | おとうと | 弟（おとうと） |
| ☐ | 217 | 天 | テン | 天気（てんき） |
| ☐ | 218 | 店 | テン | 店員（てんいん） |
| ☐ | | | みせ | 店（みせ） |
| ☐ | 219 | 転 | テン | 運転（うんてん） |
| ☐ | 220 | 田 | た | 田中さん（たなかさん） |
| ☐ | 221 | 電 | デン | 電気（でんき） |
| ☐ | 222 | 都 | ト | ～都（と） |
| ☐ | | | ツ | 都合（つごう） |
| ☐ | 223 | 土 | ド | 土曜日（どようび） |
| ☐ | 224 | 度 | ド | 一度（いちど） |
| ☐ | 225 | 冬 | ふゆ | 冬（ふゆ） |
| ☐ | 226 | 東 | ひがし | 東（ひがし） |
| ☐ | 227 | 答 | こたえる | 答える（こたえる） |
| ☐ | | | こたえ | 答え（こたえ） |
| ☐ | 228 | 頭 | あたま | 頭（あたま） |
| ☐ | 229 | 同 | おなじ | 同じ（おなじ） |
| ☐ | 230 | 動 | ドウ | 動物（どうぶつ） |
| ☐ | | | うごく | 動く（うごく） |
| ☐ | 231 | 堂 | ドウ | 食堂（しょくどう） |

| No. | 漢字（かんじ） | 読み方（よみかた） | 言葉の例（ことばのれい） |
|---|---|---|---|
| □ 232 | 道 | ドウ | 水道（すいどう） |
| □ | | みち | 道（みち） |
| □ 233 | 働 | はたらく | 働く（はたらく） |
| □ 234 | 特 | トク | 特別（とくべつ） |
| □ 235 | 読 | よむ | 読む（よむ） |
| □ 236 | 南 | みなみ | 南（みなみ） |
| □ 237 | 二 | ニ | 二（に） |
| □ | | ふたつ | 二つ（ふたつ） |
| □ 238 | 肉 | ニク | 肉（にく） |
| □ 239 | 日 | ニチ | 毎日（まいにち） |
| □ | | ひ | 日（ひ） |
| □ | | か | 三日（みっか） |
| □ 240 | 入 | ニュウ | 入学（にゅうがく） |
| □ | | いる | 入口（いりぐち） |
| □ | | いれる | 入れる（いれる） |
| □ | | はいる | 入る（はいる） |
| □ 241 | 年 | ネン | 来年（らいねん） |
| □ | | とし | 年（とし） |
| □ 242 | 売 | うる | 売る（うる） |
| □ 243 | 買 | かう | 買う（かう） |
| □ 244 | 白 | しろ | 白（しろ） |
| □ | | しろい | 白い（しろい） |
| □ 245 | 八 | ハチ | 八（はち） |
| □ | | やっつ | 八つ（やっつ） |
| □ | | よう | 八日（ようか） |
| □ 246 | 発 | ハツ | 出発（しゅっぱつ） |
| □ 247 | 半 | ハン | 半分（はんぶん） |
| □ 248 | 飯 | ハン | 夕飯（ゆうはん） |
| □ 249 | 晩 | バン | 毎晩（まいばん） |
| □ 250 | 番 | バン | 番号（ばんごう） |
| □ 251 | 疲 | つかれる | 疲れる（つかれる） |

| No. | 漢字（かんじ） | 読み方（よみかた） | 言葉の例（ことばのれい） |
|---|---|---|---|
| □ 252 | 百 | ヒャク | 百（ひゃく） |
| □ 253 | 病 | ビョウ | 病院（びょういん） |
| □ 254 | 品 | ヒン | 食料品（しょくりょうひん） |
| □ | | しな | 品物（しなもの） |
| □ 255 | 不 | フ | 不便（ふべん） |
| □ 256 | 父 | ちち | 父（ちち） |
| □ 257 | 部 | ブ | 全部（ぜんぶ） |
| □ 258 | 風 | フウ | 台風（たいふう） |
| □ | | かぜ | 風（かぜ） |
| □ 259 | 服 | フク | 洋服（ようふく） |
| □ 260 | 物 | ブツ | 動物（どうぶつ） |
| □ | | もの | 買い物（かいもの） |
| □ 261 | 分 | ブン | 自分（じぶん） |
| □ | | フン | 〜分（ふん） |
| □ | | ブ | 大分（だいぶ） |
| □ | | わかる | 分かる（わかる） |
| □ 262 | 文 | ブン | 文学（ぶんがく） |
| □ 263 | 聞 | ブン | 新聞（しんぶん） |
| □ | | きく | 聞く（きく） |
| □ | | きこえる | 聞こえる（きこえる） |
| □ 264 | 別 | ベツ | 特別（とくべつ） |
| □ | | わかれる | 別れる（わかれる） |
| □ 265 | 返 | ヘン | 返事（へんじ） |
| □ | | かえす | 返す（かえす） |
| □ 266 | 便 | ベン | 便利（べんり） |
| □ 267 | 勉 | ベン | 勉強（べんきょう） |
| □ 268 | 歩 | あるく | 歩く（あるく） |
| □ 269 | 母 | はは | 母（はは） |
| □ 270 | 方 | ホウ | 地方（ちほう） |
| □ | | かた | あの方（かた） |
| □ 271 | 北 | きた | 北（きた） |

| No. | 漢字（かんじ） | 読み方（よみかた） | 言葉の例（ことばのれい） |
|---|---|---|---|
| ☐ 272 | 木 | モク | 木曜日（もくようび） |
| ☐ | | き | 木（き） |
| ☐ 273 | 本 | ホン | 本（ほん） |
| ☐ 274 | 毎 | マイ | 毎朝（まいあさ） |
| ☐ 275 | 妹 | いもうと | 妹（いもうと） |
| ☐ 276 | 万 | マン | 万（まん） |
| ☐ 277 | 味 | ミ | 意味（いみ） |
| ☐ | | あじ | 味（あじ） |
| ☐ 278 | 民 | ミン | 市民（しみん） |
| ☐ 279 | 名 | メイ | 有名（ゆうめい） |
| ☐ | | な | 名前（なまえ） |
| ☐ 280 | 明 | あかるい | 明るい（あかるい） |
| ☐ 281 | 目 | め | 目（め） |
| ☐ 282 | 門 | モン | 門（もん） |
| ☐ 283 | 問 | モン | 質問（しつもん） |
| ☐ 284 | 夜 | ヤ | 今夜（こんや） |
| ☐ | | よる | 夜（よる） |
| ☐ 285 | 野 | ヤ | 野菜（やさい） |
| ☐ 286 | 薬 | くすり | 薬（くすり） |
| ☐ 287 | 有 | ユウ | 有名（ゆうめい） |
| ☐ 288 | 用 | ヨウ | 利用（りよう） |
| ☐ 289 | 洋 | ヨウ | 洋服（ようふく） |
| ☐ 290 | 曜 | ヨウ | 月曜日（げつようび） |
| ☐ 291 | 来 | ライ | 来月（らいげつ） |
| ☐ | | くる | 来る（くる） |
| ☐ 292 | 利 | リ | 便利（べんり） |
| ☐ 293 | 理 | リ | 料理（りょうり） |
| ☐ 294 | 立 | たつ | 立つ（たつ） |
| ☐ | | たてる | 立てる（たてる） |
| ☐ 295 | 旅 | リョ | 旅行（りょこう） |
| ☐ 296 | 料 | リョウ | 料理（りょうり） |

| No. | 漢字（かんじ） | 読み方（よみかた） | 言葉の例（ことばのれい） |
|---|---|---|---|
| ☐ 297 | 力 | ちから | 力（ちから） |
| ☐ 298 | 林 | はやし | 林（はやし） |
| ☐ 299 | 六 | ロク | 六（ろく） |
| ☐ | | むっつ | 六つ（むっつ） |
| ☐ | | むい | 六日（むいか） |
| ☐ 300 | 話 | ワ | 電話（でんわ） |
| ☐ | | はなす | 話す（はなす） |
| ☐ | | はなし | 話（はなし） |

## 特別な読み方をする漢字の言葉

N４までの漢字(300字)で特別な読み方をする漢字の言葉です。

| No. | | 読み方 | 言葉 |
|---|---|---|---|
| □ | 1 | あす | 明日 |
| □ | 2 | おかあさん | お母さん |
| □ | 3 | おとうさん | お父さん |
| □ | 4 | おとな | 大人 |
| □ | 5 | きょう | 今日 |
| □ | 6 | けさ | 今朝 |
| □ | 7 | ことし | 今年 |
| □ | 8 | じょうず | 上手 |
| □ | 9 | ついたち | 一日 |
| □ | 10 | とけい | 時計 |
| □ | 11 | にいさん | 兄さん |
| □ | 12 | ねえさん | 姉さん |
| □ | 13 | はたち | 二十 |
| □ | 14 | はつか | 二十日 |
| □ | 15 | ひとり | 一人 |
| □ | 16 | ふたり | 二人 |
| □ | 17 | ふつか | 二日 |
| □ | 18 | へた | 下手 |
| □ | 19 | へや | 部屋 |
| □ | 20 | みやげ | 土産 |
| □ | 21 | やおや | 八百屋 |

# 解　答

## 第1部　一つの漢字で言葉になる漢字

### 第1回

1　①は　②ね　③むし　④うま　⑤くさ　⑥つま　⑦いのち　⑧こども

2　①a　②b　③b　④a　⑤b　⑥c　⑦c

3　①雲（くも）　②星（ほし）　③皆さん（みなさん）　④岩（いわ）　⑤畑（はたけ）

4　①3組（3くみ）　②毛（け）　③米（こめ）　④糸（いと）

5　①ものがたり　②そとがわ　③ばんぐみ　④いちば　⑤aおおがた　bまど　⑥昔

### 第2回

1　①なげました　②うちます　③ないて　④わらって

2　①a　②b　③a

3　①こんで　②ころした　③ひっこす　④おちついて

4　①払ったら（はらったら）　②折って（おって）　③押す（おす）

5　①並べた（ならべた）　②落ちる（おちる）　③迎える（むかえる）　④渡って（わたって）

### 第3回

1　①へります　②こまります　③たすけます　④よろこびます

2　①b　②b　③b　④b　⑤c

3　①泊まった（とまった）　②付いて（ついて）　③計って（はかって）　④晴れる（はれる）

4　①申します（もうします）　②困りました（こまりました）　③負けて（まけて）
　④届いた（とどいた）　⑤続く（つづく）

5　①もうしこみ　②おねがいします　③へって　④ひづけ　⑤つきあう　⑥鳴いて　⑦助けて

### 第4回

1　①あたたかい　②あつい　③まるい　④むずかしい

2　①b　②a　③a　④a

3　①忙しかった（いそがしかった）　②涼しい（すずしい）　③悲しい（かなしい）

4　①きいろい　②静かな　③若い

### 特別な読み方をする漢字の言葉

1　①a　②b　③a　④b　⑤a

2　①えがお　②まっかな　③ともだち　④てつだって

## まとめ問題（1）

1　①2　②2　③3　④4　⑤4

2　①1　②2　③2　④4　⑤1

3　①a きづきません　②b みなさん　c もうしあげます　③d おとしもの　e とどけた
④f ひづけ　⑤g ばんぐみ　⑥h おちついて　⑦i そとがわ　j こがた　⑧k まっくら
⑨l わかもの　m あつい　⑩n むかし　o ものがたり　p まなべる

4　a 馬　b 子供さん　c 虫　d ほし　e はたけ　f 雪　g おとまり　h 申し込み

# 第2部　たくさんの言葉を作る漢字

## 第5回

1　①a しんゆう　b ゆうじん　②a ぜんりょく　b たいりょく　③a かんどう　b かんじました
④a じょせい　b だんせい

2　①a　②a　③a　④c

3　①線（せん）　②会費（かいひ）　③自信（じしん）　④期間（きかん）　⑤友情（ゆうじょう）

4　①a 両親（りょうしん）　b 両側（りょうがわ）
②a 道具（どうぐ）　b 家具（かぐ）
③a 情報（じょうほう）　b 電報（でんぽう）

5　①副社長（ふくしゃちょう）　②第 18 回（だい 18 かい）　③各クラス（かくクラス）
④具体的に（ぐたいてきに）　⑤イタリア製（イタリアせい）

## 第6回

1　①a さいきん　b もっとも　②a きめた　b けっしん　③a はやい　b じそく
④a ぞうか　b ふえました

2　①b　②a　③b　④b　⑤b　⑥c

3　①a おもて　b ひょう　②a うちがわ　b あんない　③a くわえる　b ついか

4　①温める（あたためる）　②当たる（あたる）　③追いついた（おいついた）　④結んだ（むすんだ）

5　①a 温度（おんど）　b 体温計（たいおんけい）
②a 当番（とうばん）　b 当然（とうぜん）
③a 結果（けっか）　b 結婚（けっこん）

6　①まいります　②ほうめん　③a 最高気温　b 本当　④以内

## まとめ問題（2）

1　①1　②2　③3　④3　⑤4

2　①1　②3　③1　④4　⑤3

3　例）1 両側　2 両親　3 両方　④食料

①　1 記事　2 記者　③期間　4 記入

②　1 信用　②心配　3 信じた　4 信号

③　①野菜　2 最後　3 最高　4 最近

④　①内科　2 増加　3 追加　4 参加

4　a 最大　b だいひょう　c ぜんりょく　d けっか　e 感動的**な**　f ほんとう

# 第3部　場面の言葉を作る漢字

## 第7回

1　a ぼうえき　b えいぎょうぶ　c こうこく　d しょうひんかんり　e ゆにゅう　f ぎじゅつ

2　①a　②c　③a　④b　⑤c

3　①しょうてん　②きかい　③手術　④輸出

4　①商**業**（しょうぎょう）　②**製造業**（せいぞうぎょう）　③建**設業**（けんせつぎょう）

④農**業**（のうぎょう）

## 第8回

1　a こくさい　b せいふ　c せいちょう　d こうむいん　e けんり　f だんたい　g かいぎ

2　①b　②c　③a　④a）a　b）c　⑤a

3　①a **体**力（たいりょく）　b **協**力（きょうりょく）

②a **条**件（じょうけん）　b **事**件（じけん）

③a 完**成**（かんせい）　b 完**全**（かんぜん）

④a 制**限**（せいげん）　b 制**度**（せいど）

4　a だんち　b 事務所　c 会議室　d わしつ　e 役**に**立**つ**

## 第9回

1 aせんしゅ bゆうしょう cげんざい dあらわ**れた** eか**つ** fえら**ばれて** gなお**って**
h たたか**って**

2 ①a ②c ③a ④c ⑤a ⑥b

3 ①a 経**験**（けいけん） b 経**営**（けいえい）
②a 石（いし） b 石**油**（せきゆ）
③a **政**治**家**（せいじか） b 治**らない**（なお**らない**）

4 aねあ**がり** bだん**ボール** cぶっか dじょゆう eやさ**しい**

## まとめ問題（3）

1 ①2 ②2 ③4 ④1 ⑤2

2 ①1 ②2 ③4 ④3 ⑤3

3 ①aひろ**く** bこうこく ②cはたら**いて** dろうどうじょうけん ③eけんせつ fた**てられた**

4 ①制**限速度**（せいげんそくど） ②**経済**成**長**（けいざいせいちょう）
③**平和**団**体**（へいわだんたい） ④輸**入食品**（ゆにゅうしょくひん）
⑤**国際**協**力**（こくさいきょうりょく）

## 第10回

1 aけっせき bそつぎょう cじゅぎょう dしゅっせき eぶんぽう fてん gごうかく
h しゅくだい

2 ①c ②b ③c ④a

3 ①じしょ ②かいとう ③かんたん ④こうとうがっこう

4 ①a **資**格（しかく） b **性**格（せいかく）
②a **私**立（しりつ） b **公**立（こうりつ）
③a **理**解（りかい） b 解**決**（かいけつ）

5 a短**期大学**（たんきだいがく） b**合**格（ごうかく） c**解**説（かいせつ） d資**料**（しりょう）

## 第11回

1 aほけん b**お**しはら**い** cたいいん dやっきょく eひじょうぐち

2 ①c ②a ③a) a b) b ④a

3 ①**地**球（ちきゅう） ②支**出**（ししゅつ） ③給**食**（きゅうしょく） ④予**算**（よさん）

4 a生活 b2階 c絵 dしょるい eしょっき fしゅうり g活動

## 第12回

1 aしき bじゅんび cしかい dしょうかい eしゅっしん fきねん

2 ①b ②a ③c ④a ⑤b

3 ①a**速**達（そくたつ） b**発**達（はったつ）

②a**出**身（しゅっしん） b身**長**（しんちょう）

③a失**敗**（しっぱい） b失**業**（しつぎょう）

④a原**因**（げんいん） b原**料**（げんりょう）

4 aさんふじんか bふつう c紹介 d**お**礼 eみらい f約束

## 第13回

1 aれきし bぶんか cほぞん dかがく eぎもん fどくしょ gかんそう

2 ①b ②b ③a ④b ⑤a

3 ①満**足**（まんぞく） ②検**査**（けんさ） ③反**省**（はんせい） ④不**足**（ふそく） ⑤可**能**（かのう）

4 a**20～29**さい bあい cがくれき dはんたい eせきにん fりそう

## 第14回

1 aふうふ bおっと cつと**めて** dしゅっきん eれんきゅう f**つれて**

2 ①a) b b) a ②b ③b

3 ①a**家**庭（かてい） b庭（にわ）

②a**田中**君（**たなか**くん） b君（きみ）

③a夢**中**（むちゅう） b夢（ゆめ）

④a幸**せ**（しあわ**せ**） b幸**福**（こうふく）

4 ①関**心**（かんしん） ②**面**接（めんせつ） ③連**れて**（**つれて**） ④忘**れて**（わす**れて**）

5 ①aほか bかかり ②aたにん bみなお**した** ③aは b血 cしか ④ちょくせん

6 aつうきん bこうふく cかんけい dかてい eふうふ fしあわ**せ** gつと**める** hゆめ

## まとめ問題（4）

1 ①2 ②4 ③4 ④2 ⑤4

2 ①1 ②2 ③2 ④4 ⑤3

3 ①aなお**して** bちょくせつ ②cしつぎょう dしっぱい ③eぶんぽう fほうほう

④gふそく hまんぞく ⑤iけいさん jひ**き**ざん

4 ①aたんしょ bわす**れ**もの ②cひじょう**に** ③dけっきょく e歯医者

④fかいだん g電球 ⑤h約 iきょうし ⑥jえ**の**ぐ k楽器 ⑦l点線

## 第15回

1 aせんろ bじこ cちかてつ dおきゃくさま eちゅうおう fしょうめいしょ gてつどう

2 ①b ②b ③a ④a

3 ①31億人（31おくにん） ②2枚（2まい） ③何個（なんこ） ④38秒（38びょう）
⑤4倍（4ばい）

4 ①a放送（ほうそう） b送料（そうりょう）
②a発明（はつめい） b説明（せつめい）
③a週末（しゅうまつ） b月末（げつまつ）

5 a鉄道 b観光 cこじん dりょこうきゃく e高速道路 f航空機

## 第16回

1 aうつくしい bしま cおよごう dびじゅつかん eとざん fくうこう gむこう hみなと
iふね jのぼります

2 ①c ②a ③b ④c ⑤b ⑥c

3 ①a位置（いち） b置かないで（おかないで）
②a横断（おうだん） b横（よこ）
③a方向（ほうこう） b向かって（むかって）
④a遊園地（ゆうえんち） b遊んだ（あそんだ）

4 ①aふうせん bとんで ②aひこうき bざせき ③さしあげた ④しかくい
⑤aなみ b水泳 ⑥通過 ⑦a角 b交差点

5 （1）a半島（はんとう） b方角（ほうがく） c島（しま） d登山（とざん）
（2）e火山（かざん） f船（ふね） g美術館（びじゅつかん） h過ごせる（すごせる）

## まとめ問題（5）

1 ①3 ②1 ③2 ④4 ⑤4

2 ①3 ②1 ③3 ④1 ⑤4

3 例）銀行 ①旅行 2観光 3方向
① 説明 1有名 2氏名 ③証明書
② 放送 ①送信 2感想 3戦争
③ 断水 1値段 ②横断 3団体

4 aでんぱ bなんばい c明るく d光って eのぼる fとおく gあそばせたり hおうだん
i向かい j美しい k送ります lひるすぎ

# 第4部　音読みと訓読みを覚える漢字

## 第17回

1　①aとめる　bきんし　②aほどう　bあるきましょう　③aせんめんじょ　bあらって
　④aならった　bふくしゅう　⑤aかしゅ　bうた　cうたった

2　①c　②a　③b　④a

3　①a集まる（あつまる）　b集合する（しゅうごうする）
　②a進む（すすむ）　b進歩する（しんぽする）
　③a始める（はじめる）　b開始する（かいしする）

4　①a売店（ばいてん）　b売って（うって）
　②a帰宅（きたく）　b帰ったら（かえったら）
　③a参考（さんこう）　b考えて（かんがえて）
　④a不思議な（ふしぎな）　b思った（おもった）

5　①ひらかれた　②あけた　③a練習　bきたい

## 第18回

1　①aかいがい　bうみ　②aつぎ　bもくじ　③aふぼ　bちち　cはは
　④aあさ　bちょうしょく

2　①b　②a　③b　④b　⑤c　⑥b

3　①a表紙（ひょうし）　b紙（かみ）
　②a最低（さいてい）　b低かった（ひくかった）
　③a特色（とくしょく）　b色（いろ）
　④a科目（かもく）　b注目（ちゅうもく）

4　①じじょ　②くび　③aすくない　bすこし　④せいねん　⑤a森　bしょうねん　⑥電池

## まとめ問題（6）

1　①1　②1　③4　④2　⑤3

2　①4　②3　③1　④2　⑤3

3　①試合開始（しあいかいし）　②集合時間（しゅうごうじかん）
　③申し込み用紙（もうしこみようし）　④横断歩道（おうだんほどう）
　⑤使用禁止（しようきんし）

4　（シ）（始　止　思　紙）　（ショク）（食　職　色）　（シン）（進　寝　新　森）

## 第19回

1 ①aりょう bはかって ②aのこって bざんぎょう ③aしゅうかん bなれました

2 ①a移る（うつる） b移動する（いどうする）

②a調べる（しらべる） b調査する（ちょうさする）

③a変わる（かわる） b変化する（へんかする）

④a防ぐ（ふせぐ） b防止する（ぼうしする）

3 ①a ②b ③b ④c ⑤a

4 ①流行（りゅうこう） ②植物（しょくぶつ） ③訪問（ほうもん） ④受験（じゅけん）

5 ①a配ります（くばります） b配達（はいたつ）

②a曲がって（まがって） b曲（きょく） c作曲（さっきょく）

③a違います（ちがいます） b違反（いはん）

④a育てられた（そだてられた） b体育館（たいいくかん）

6 ①うけつけ ②たずねた ③ながれて ④あずけた ⑤調味料 ⑥植えた

## 第20回

1 ①aあつい bねつ ②aかくじつな bたしかめます ③aたとえば bれい

2 ①c ②a ③a ④b ⑤c ⑥b ⑦a

3 ①a初め（はじめ） b最初（さいしょ）

②a頭が痛い（あたまがいたい） b頭痛がする（ずつうがする）

③a必ず要る（かならずいる） b必要だ（ひつようだ）

4 ①種類（しゅるい） ②深く（ふかく） ③橋（はし）

5 ①へいねつ ②たしかに ③たね ④ただしい ⑤初めて

## まとめ問題（7）

1 ①2 ②4 ③2 ④1 ⑤3

2 ①3 ②1 ③1 ④4 ⑤2

3 ①必要書類（ひつようしょるい） ②化学変化（かがくへんか） ③生活習慣（せいかつしゅうかん）

④大量生産（たいりょうせいさん）

4 ①aじゅけん bうけとった ②aりゅうこう bながされて ③aただしい bせいかくに

5 （イ） 医 以 移 違 （キュウ） 求 球 級 休

（ホウ） 法 報 方 訪 （ヨウ） 曜 用 要 洋

# 第5部　たくさんの読み方がある漢字

## 第21回

1　①aおりる　bふって　②aほそい　bこまかい　③aかれ　bかのじょ　④aさます　bひやす

2　①a　②a　③b

3　①遅い（おそい）　②汚い（きたない）　③転がって（ころがって）　④閉めて（しめて）

4　①aこんや　bよなか　②aあがった　bうわぎ　cのぼり　③aそら　bから
　④aこうこうせい　bなま　cいきて　⑤aわりびき　bわれて　⑥aさめても　bおぼえて

5　①a生まれた（うまれた）　b生えて（はえて）
　②a汚れて（よごれて）　b汚く（きたなく）
　③a冷たい（つめたい）　b冷やして（ひやして）
　④a自転車（じてんしゃ）　b転んで（ころんで）
　⑤a遅い（おそい）　b遅れて（おくれて）

## 第22回

1　①aゆうびんきょく―bたくはいびん　cべんり―dふべん
　②aこうじょう―dこうぎょう　cだいく―bくふう
　③aにちようび―dにちじ　cせんじつ―bへいじつ

2　①b　②c　③b　④b　⑤a

3　①a自分（じぶん）　b自然（しぜん）
　②a見物（けんぶつ）　b荷物（にもつ）
　③a人間（にんげん）　b期間（きかん）
　④a文化（ぶんか）　b注文（ちゅうもん）

4　①aらく　bたのしい　②aさくひん　bさぎょう　③a休日　b日当たり

## 第23回

1　①aさらいしゅう　bさいしけん　②aひょうばん　bはんだん　③aけいゆ　bじゆう

2　①b　②a　③b　④c

3　①定休日（ていきゅうび）　②規則（きそく）　③評判（ひょうばん）

4　①定価　②券　③再利用

## 第24回

1　①aおもい　bかさねる　②aおんなのこ　bようす　③aぎょうじ　bおこなわれる
　④aとち　bつち

2　①a伝えて（つたえて）　b伝言して（でんごんして）
　②a何度も（なんども）　b度々（たびたび）
　③a真ん中より後（まんなかよりあと）　b後半（こうはん）
　④a体の重さ（からだのおもさ）　b体重（たいじゅう）

3　①c　②b　③a　④b　⑤a

4　①aおりる　bくだり　cさがって　②aいう　bことば　cはつげん
　③aしたのこ　bちょうし　cようす　④aいったら　bこうどう　cおこなって
　⑤aがいしゅつ　bはずれて

5　①お客様　②重要な　③a男子　b女子

## 第25回

1　①aにんぎょう　bかたち　cさんかくけい　②aすうじ　bかず　cかぞえる

2　①aくるしい　bにがい　cくろう　②aしょうかき　bけす　cきえた
　③aゆび　bさす　cしじ　④aなくす　bぶじ　cむりょう

3　①b　②b　③b　④a

4　①守る（まもる）　②相手（あいて）　③消えなかった（きえなかった）　④苦しそう（くるしそう）

5　①a相談（そうだん）　b相手（あいて）　c首相（しゅしょう）
　②a神社（じんじゃ）　b神様（かみさま）　c神経（しんけい）
　③a留学（りゅうがく）　b留守番（るすばん）　c書留（かきとめ）
　④a数える（かぞえる）　b点数（てんすう）　c数（かず）

# 実力（じつりょく）テスト

## 実力テスト1

問題1　[1] 1　[2] 4　[3] 2　[4] 4　[5] 1　[6] 3　[7] 4　[8] 4

問題2　[1] 1　[2] 2　[3] 3　[4] 2　[5] 3　[6] 4

## 実力テスト2

問題1　[1] 2　[2] 1　[3] 2　[4] 4　[5] 1　[6] 3　[7] 2　[8] 4

問題2　[1] 2　[2] 3　[3] 4　[4] 2　[5] 4　[6] 1